トカラ列島の民話風土記

下野敏見 著

榕樹書林

表紙・挿絵　永松美穂子

ボゼ勢揃い。右から平（ひら）ボゼ・羽釜（はがま）ボゼ・探（さが）しボゼ。上の大きな湾曲した瞼（まぶた）・眉を羽根（はね）と言う（悪石島、1975）

異界の神ボゼに挑戦する子供達。次の瞬間、ホゼが暴れると、さっと逃げる（悪石島、1965）

島々の盆踊り

細川殿。子供もまじえ、腰を落として踊っていく　(悪石島、1985)

田芋の柄(え)と稲穂のついた帽子を被る恵比寿　(中之島、1966)

赤泥（かまつち）を塗り裸足で踊る恵比寿舞いの人々　(中之島、1966)

躍動感溢れる清楚な裸足踊りにやんやの喝采。右端肥後清巳　(口之島、1989)

次の瞬間、爆発したように高く伸びて踊る　(口之島、1989)

かつてのトカラ島々の港の多くは小さく危険を伴っていた。近年は大幅に改善されている。

臥蛇島の港。艀（はしけ）が浮かぶ。十島丸は着けない　（臥蛇島、1966）

悪石島の安良港（やすらみなと）。防波堤が一本でている　（悪石島、1966）

元浦港。艀（はしけ）や丸太舟の姿も。汽船は沖がかり（諏訪之瀬島、1966）

もくじ

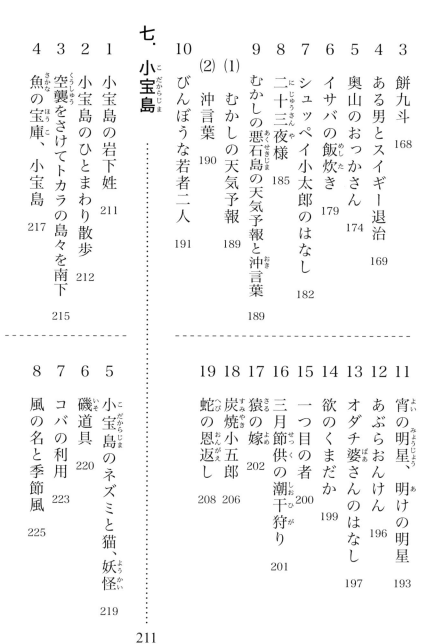

はじめに

トカラ列島を思い出すとき、いつも聞こえてくるのは、子どもたちの歌声です。

〽波路《なみじ》はるかな三百キロの　海につらなる島々よ
強いひざしに緑の木々が　夢と希望を呼びかける
十島《としま》　十島《としま》　われらの十島《としま》

歌詞もよいのですが、メロディーがたいへんよく、トカラの島々にぴったりの歌です。子どもたちが、ビロー樹《じゅ》の木陰《こかげ》で元気よく歌っていたのを思いだします。

ここに、日本の南の種子島・屋久島と奄美《あまみ》大島の間（そこはまた、大和《やまと》と琉球《りゅうきゅう》の間）に点々と連《つら》なるトカラの島々の昔話《むかしばなし》や伝説《でんせつ》、子守歌《こもりうた》、歴史物語などを、一冊にまとめてみました。

これらの話は、一九六五年から一九八三年までの間、私が何回もトカラに通《かよ》って、島の皆さん方から聞いた話を記録し、その中から選んだものです。

歴史や信仰《しんこう》、その他、民話《みんわ》の枠《わく》を少し広げてトカラらしい優《すぐ》れた話や貴重《きちょう》な文化を紹介するものです。

トカラ列島の七つの島は十島村《としまむら》といいますが、これは戦前、北隣《きたどなり》の三島村《みしまむら》といっしょのころの名残《なごり》です。北緯三〇度線以北の三島村は、戦後、アメリカに占領《せんりょう》されませんでした。三島村より南にある七つの島（本書のトカラ列島）は、アメリカに占領され、日本に復帰《ふっき》したあとも昔のまま十島村といっているわけです。

トカラ列島、すなわち十島村は、自然も歴史も文化も非常《ひじょう》に優《すぐ》れていて、たいそうよいところで、魅力《みりょく》のある島々です。

本書は、七つの島々を、北から南へ島ごとにいくつかのテーマを定めてまとめてあります。トカラの民話は、この他にもあります。それを載せてある本については、「あとがき」に記《しる》してあります。なお、本書は大人も子どもも読んで楽しめるように工夫して書いたつもりです。

では、トカラの民話をお楽しみください。

令和二年二月十一日　　筆者記す

一．口之島

1　弘法大師《こうぼうだいし》と田芋《たいも》

口之島の八幡《はちまん》さまをまつる東の宮《みや》の前には、広い田んぼが広がっています。昔、お宮のすぐ前の田んぼで、一人のおばさんが田芋をとっていたそうです。

そこに、白髪《しらが》じいさんがやってきて、

「その芋はおいしいですか。」

と言うたそうです。すると、おばさんは、

「この芋はおいしくない。いま、萌《も》えて（芽《め》が出て）くるときですからおいしくないのですが、九月から先になると、非常《ひじょう》に味《あじ》がよいですよ。」

と言うたそうです。そして、

「今はまだ味が悪いが、おじさんが食べたいと思うなら、あげるから、少しずつよくかんで食べてみらんか。」

と言うて、大きな田芋を九本引き抜《ぬ》いて、芋と茎《くき》を切り離《はな》しておじさんにくれたそうです。

「おおきに。」

とおじさんは言うて、そして、

「おばさん、毎年の霜月《しもつき》祭りのときは、この田芋をな、九本だけとって、オテンドサマ（お天道さま）にと、言うてあげなさい。」

と言うたそうです。

おばさんは、その通りにし、そして、翌年《よくとし》の四、五月の田芋が萌えてくるころ、引き抜いて煮《に》て食べてみたら、芋も茎も大変うまかったそうです。五月ごろは、野菜も食料も少ないころなので、助かったと喜んだそうです。

おじさんは、また、

「田んぼにある大きな平たい石は捨てて、角《かど》のある石を残し、ときどきその石を起こすと、下に石のりなどが生《は》えていて、芋の味がよくなる。」

と、教えてあったそうです。

十島丸から口之島を望む。

その通りにしたら、ほんとにうまかよか田芋がとれるようになったと。しかし、そんな味のよい田芋は、お宮の前の田んぼだけであったそうです。

「あのおじさんは、誰《だれ》であったろうか。」

と、おばさんは不思議に思って、神さまをおがむネーシ（内侍《ないし》＝女の神職《しんしょく》）に聞いてみたそうです。すると、ネーシはお祈《いの》りしてから、

「その方は、弘法大師《こうぼうだいし》じゃった。」

と言うたそうです。

霜月祭りのときは、八幡さまでは、屋根の上に大きな田芋を一個乗せて、天道幣《てんどうへい》というものを立てます。天道幣はオテンド様、すなわち太陽をまつる印《しるし》で、一mほどの竹の棒に、丸い白紙《はくし》の御幣《ごへい》を差したものです。

なお、霜月祭りは、田芋や里芋などをお宮にあげて祝う芋祭りの日だそうです。口之島をはじめ、トカラの島々では、四月の麦祭り、六月の粟《あわ》の祭り、七月の米の祭り、十一月（霜月）の芋祭りという具合《ぐあい》に、作物ごとの収穫祭《しゅうかくさい》を四季折々《しきおりおり》にやっているのです。

［一九七二年　口之島　中村直次郎さん（明治三十一年生まれ）より］

2　寄宮大権現《よりみやだいごんげん》とミョウドウ七人

東の宮に、寄宮大権現という神さまをまつっています。

昔、ある人が江戸にのぼり、どこかの神社で立派《りっぱ》な神石《かみいし》を拝《おが》んだそうです。口之島にもどって、東の浜に漁《りょう》に出たところが、浜に、七日七夜《なぬかななよ》の間、ぴかぴか光る石があったそうです。

江戸でおがんだ神石に似《に》ていたので、石を起《お》こして、

「もし、神さまであれば、魚をいっぱい釣《つ》らせてください。」

と祈《いの》って沖《おき》に出たところが、大漁《たいりょう》だったそうです。

そこで、その石を運ぼうとしたが、びくともしない。その人は村にもどって、七人の人を頼んでやっと動かして、運《はこ》ぶことができたそうです。

その石を東の宮に運んで、屋根を拭《ふ》いて中に納《おさ》め、神石としておがむことにしたそうです。これがいまの寄宮大権現《よりみやだいごんげん》です。

さっきの七人の衆《しゅう》は、それからの祭りの準備や世話をするようになり、「ミョードー」と呼ばれるようになったそうです。ミョードーとは、宮人《みやうど》のことのようです。

ところで、昔、あるとき、鹿児島から島に来ている在番の役人が、権現《ごんげん》さまの

神石《かみいし》を刀でけずったそうです。

すると、その役人は鹿児島にもどってから、何も悪いことはしていなかったのに、誤解《ごかい》が元で切腹《せっぷく》をさせられたという話です。

［一九七二年　口之島　日高孝左衛門《こうざえもん》さん（明治二六年生まれ）より］

3　日高大門《だいもん》の話

昔、口之島に日高助左衛門という人がいたそうです。その人の墓《はか》は、テラ（墓地にある無人寺）の上の右のほうにあります。

助左衛門は、体が大きく、一反（約一〇mの長さ）の布で作った着物でも、膝《ひざ》までしかなかったそうです。

トカラの島々が川辺七島《かわなべしちとう》に属《ぞく》していたころ、郡《ぐん》役所は、いまの南九州市の知覧《ちらん》にあったそうです。

ある年、助左衛門は、用があって郡役所に行きましたが、馬から降《お》りないで、そのまま役場に入っていったそうです。

ところがその無礼《ぶれい》をとがめられて罪《つみ》になり、死刑《しけい》を言い渡《わた》されたそうです。そして、谷山の涙橋《なみだばし》を通って刑場《けいじょう》へ行くとき、ちょうど島津の殿さまの子が生まれたので、みんなの刑《けい》が一つ軽くなることになり、助左衛門は死刑《しけい》をまぬがれたそうです。助左衛門の豪傑《ごうけつ》ぶりを見たあるところの人たちは、こらしめてやろうと言って、すり鉢《ばち》で灰汁《あく》焼酎《じょうちゅう》を作って飲ませたそうです。ところが、助左衛門は、せれっとして（平然《へいぜん》として）飲み干《ほ》し、みんなをおどろかせたという話です。

助左衛門の着物や袴《はかま》を孝左衛門さんは見たことがあるそうです。助左衛門は、孝左衛門さんの何代か前の先祖であるということです。

［一九七二年　口之島　日高孝左衛門さん（明治二六年生まれ）より］

4　クジラどんとジキリどん

昔、クジラどんとジキリどんが出会って、クジラどんがジキリどんに、

「お前は小さいなあ。おれと泳ぎくらべなど、できんだろう。」

と言ったそうだ。ジキリどんは、じつは、一尺（三〇㎝）ぐらいの海の生き物で、ナマコより少し長い。そのジキリどんが、

「いや、おれも、お前なんかには負けん。」

と言ったそうだ。そして、二人は、

「よーい、どん。」

クジラどんとジキリどん

で出発したそうだ。

クジラどんがどんどん泳いで行ってから、

「ジキリどーん。」

と呼ぶと、不思議《ふしぎ》なことに、

「はーい。」

と、すぐ先のほうで答えたそうだ。

クジラどんは、また、どんどん泳いで行ってから、

「ジキリどーん。」

と呼ぶと、また、不思議なことに、

「はーい。」

と、すぐ先のほうで答えたそうだ。

しばらく泳いで、また、声をかけても、同じことであった。

クジラどんは、いくら泳いでも、泳いでも、ジキリどんには追いつけなかったそうだ。

そして、とうとう、くじらどんは、疲《つか》れ果《は》てて死んでしもうたそうじゃ。

ジキリどんは、島の周りに何百匹もいて、次々に声を上げていったから、クジラどんがかなうわけはなかった、という話。

［一九七二年　口之島　日高松之助さん（明治三八年生まれ）より］

5　手養生《てようじょう》

昭和十九年のこと。口之島の西の浜に、日本の飛行機《ひこうき》が不時着《ふじちゃく》しました。ところが、ガソリンに引火《いんか》して火事を起《お》こし、兵士《へいし》が火傷《やけど》をしたのです。近くの岬《みさき》に海軍《かいぐん》の監視所《かんしじょ》があって、十八人の兵士がいたけれども、薬はなく、治療《ちりょう》もできないので、そこには置けず、村に連《つ》れてきました。

村では、みんなが協力して、昔からの手養生（民間療法《みんかんりょうほう》）をすることになり、畑の畦《あぜ》に生えているアカシバの草と、山のグミの皮を煎《せん》じて飲ませたのです。すると、何日かしてそれが効《き》いて、だんだんよくなり、そのうちにすっかり治《なお》ってしまったのでした。

その人は、たいへん喜《よろこ》んで内地《ないち》に帰っていきましたが、あとから、「あれだけ効く薬はない。ぜひ、送ってほしい。」と、手紙が来たそうです。

口之島をはじめ、トカラの島々では、どこも、昔からの手養生が伝えられていました。その一部を記《しる》します。

①　熱冷《ねっさ》ましには、島芭蕉《しまばしょう》（島に昔からある小さなバナナ）の根、オンバコ（オオバコ）の根、クチナシの根を取って、陰干《かげぼ》しにして、煎じて飲むとよい。

②腎臓炎《じんぞうえん》には、イセエビを捕《と》って、身も殻《から》もいっしょにし、トウモロコシの実もヒゲも入れて、水で煎じ、その汁《しる》を飲むとよい。

③関節を違《たが》わしたときは、オンバコの葉、ショウガ、セキショウブの根、卵、メリケン粉《こ》、クチナシの実、酢《す》、焼酎をすり鉢《ばち》に入れて粉《こな》にし、痛《いた》むところにつける。骨《ほね》がつがると、皮膚《ひふ》が青色になる。

④切り傷《きず》には、カマクラ（鳳仙花《ほうせんか》）の汁をつける。

⑤風邪《かぜ》ひきには、アカシバの葉、グミの皮を煎じて飲む。咳《せき》があるときは、ショウガと桜の皮を煎じて飲むとよい。

⑥腹痛《はらいた》には、ガジュツ（ショウガに似た植物）の根、ヒー（ヒル）の草の根を細《こま》かくきざみ、水で飲むとよい。

⑦カチョーフー（破傷風《はしょうふう》）には、アカシバの葉とグミの皮をいっしょに煎じて、一日に三、四回、飲ませるとよい。

［一九六六年　口之島　日高孝左衛門さん（明治二六年生まれ）より］

6　肥後《ひご》の国

口之島では、お盆にはテラ（墓地にある無人寺）の庭で、盆踊《ぼんおど》りをします。手踊りや狂言《きょうげん》などがあってにぎやかです。村の人々は、大人も子どもも皆、見物に来ます。

そのとき、一人の青年が弓を持ち、矢をつがえて「肥後の国」というおもしろい話を大声でしゃべりながら、一人芝居《しばい》をします。これを狂言《きょうげん》（地《じ》狂言）といいます。

次は、その文句です。

「赤坂銀兵衛《ぎんべえ》という人がおりました。
その人が一里《いちり》（四km）四方《しほう》余りの大きな屋敷《やしき》を持っております。
その屋敷の東の方の妻《つま》（端《はし》）に、大木《たいぼく》があります。その大木の一の枝に、
『チンカラコー、カラコー』
と鳴く鳥が、大きな巣を組んでおります。
その巣のだんばら（壇腹《だんばら》・盛《も》り上がった腹《はら》）をうち通《とお》さんと思いけり。
だが、弓にするものがなし。
八幡《はちまん》（口之島一番のお宮）の張《は》り竹をおっ取り、弓にし、弦《つる》にかけるものがなし。
八幡のしめ縄《なわ》をおっ取り、弦にかけ、矢にするものがなし。

八幡の杵《きね》をおっ取り、矢にし、矢の根巻《ねま》きにするものがなし。

八幡の挽《ひ》き臼《うす》をおっ取り、矢の根巻きにし、これでいよいよ準備《じゅんび》ができました。

引いて七日、矯《た》めて七日、二七十四《にひちじゅうし》、十四日の朝、千里《ちり》チリぱっと、見事に鳥、落ちました。

上にはしめ縄《なわ》、
　十文字に延《は》え渡《わた》し。
西の浜かけ回り、
　東の浜かけ回り。
西の船人《ふなとう》ども喜ばせ、
　東の船人ども喜ばせ。
丹後の国は、たもうて通る。
駿河《するが》の国は、すもうて通る。
キビナゴの塩辛《しおから》、
一万七、八千壺《つぼ》になりにけり。」

狂言「肥後の国」（口之島）。

「肥後の国」の口上《こうじょう》は右のとおりですが、ほかに、「木佐木原合戦《きさきばらかっせん》」、「佐野《さの》の源左衛門《げんざえもん》」、「悪人《あくにん》」などがあります。

これらの狂言の中の「肥後の国」は、種子島では「六法《ろっぽう》（早口《はやくち》物語）」といって、おもしろく語られています。その始まりは、「赤坂源兵衛《げんびょうえ》という者がおられましたける」となっていて、口之島と似ておりますが、ところどころ違《ちが》います。

［一九八九年　口之島小中学校の川崎兼隆《かねたか》先生の手書きプリント参考］

盆踊りのけいこ（口之島）。

7　祝《いわ》いの座《ざ》とナンコ（箸戦《なんこ》）

口之島では、お祝いの座では、まず、儀式《ぎしき》をします。

口之島の家は、オモテの間《ま》、ナカザイ（中座）、内《うち》の座（奥座敷《おくざしき》）、ヨコザイ（横座）とあって、中心にタイス柱《ばしら》（亭主柱《ていしゅばしら》）があります。

それに、ゾゾという土間《どま》がつき、「風呂の前」という板の間（台所）がついていて、大きな家です。

お祝いのときは、そのオモテとナカザイにたくさんの人々がならびます。そして、まず主人の亭主《たいす》がタイス柱のところであいさつします。

そして、いよいよナンコ（箸戦《なんこ》）です。左右の列で勝負をし、次々に勝ち抜き戦をします。

ナンコは、三本勝負です。箸《はし》を二本に折り、それを六本用意します。そして、それぞれ三本ずつてのひらに持って、腰《こし》の後ろに両手を回してかくします。次は、右手のこぶしで持ってかくしたまま、相手と同時に前へ出し、相手の数を当てたり、または双方《そうほう》の合計を当てたりします。そして両人、掌を開いて見せるのです。

勝った人に焼酎《しょうちゅう》を一杯飲ませます。そして、ナンコが終わったところで、亭主が祝いの歌を歌います。それは、初めに「ションガ節」、次いで「マツバンダ」という歌です。この後は、飲食が続きますが、そのときは誰でも、歌ったり、踊ったりしてよいのです。

［一九七二年　口之島　日高松之助さん（明治三八年生まれ）に聞きました。また、ある年の祝の座に入れていただき、筆者も体験しました。］

8 慶元和尚《けいげんおしょう》の祟《たた》り

口之島の西の浜から歩いて村へ登ってくると、途中の潮見峠《しおみとうげ》の手前の左側に、小さな石塔《せきとう》があります。

それには、「権大僧都慶元和尚《ごんのだいそうづけいげんおしょう》」ときざんであります。

昔は、口之島へやってきた旅人《たびびと》は、昼寝《ひるね》をすると、オコリ（またはクサフルイ。「寒気《さむけ》」、「悪寒《おかん》」のこと）がしたといいました。今は、そういうことはないけれども、昔は、これは慶元和尚のたたりだといわれました。

このたたりのわけは、千年ほど前、壇ノ浦《だんのうら》で負けた平氏《へいし》の侍《さむらい》の一人が口之島にやってきて、何か悪いことをして殺《ころ》されようとしたとき、

「手も足も出《だ》さん。絶対《ぜったい》に手向《てむ》かわんから助けてくれ。」

と言ったが、殺してしまい、いまの石塔の所に埋《う》めたという話が語られています。

そして、この峠のある山は「神山《かみやま》」として、そこの木は誰も切らないのです。じつは、これは実際《じっさい》の話を背景《はいけい》にした伝説《でんせつ》です。本当の話は、時代がさがって、十六世紀《せいき》のことでした。

口之島の肥後家の系図《けいず》に、

「弘治《こうじ》五（一五五九）年、大隅古江村《おおすみふるえむら》の慶元和尚という山伏《やまぶし》が口之島にやってきて、乱暴《らんぼう》をしたので、村人が力を合わせて討《う》ち果たした。その後、毎年七月十六日、施餓鬼供養《せがきくよう》をするようになった。」

と、書いてあります。また、系図《けいず》には続けて、

「そのころ、口之島の村にいろいろな災難《さいなん》があったので、慶元和尚の霊《れい》をなぐさめる石塔を建て、鹿児島の南林寺《なんりんじ》の僧《そう》を呼んで供養《くよう》してもらったところが、村に災難《さいなん》は起こらなくなった。」

と、記《しる》されています。

ところで、慶元和尚が殺された本当の原因《げんいん》は、当時の口之島にあった潮音寺《ちょうおんじ》という禅宗《ぜんしゅう》の寺のフィールド（領域）に、大隅《おおすみ》の古江《ふるえ》の山伏がやってきて、新しい宗派《しゅうは》の真言宗《しんごんしゅう》を布教《ふきょう》しようとした宗教的《しゅうきょう》対立であったと思われます。

［一九七二年　口之島　日高孝左衛門さん（明治二六年生まれ）の話と肥後家系図による］

9　袂百合《たもとゆり》

口之島には、昭和二八年（一九五三）年、鹿児島県の天然記念物《てんねんきねんぶつ》に指定された袂《たもと》百合《ゆり》があります。

伝説によると、平家《へいけ》の残党《ざんとう》が口之島に落ちのびてきたとき、ある女の袂《たもと》にユリの球根を持ってきたのだといわれています。平家の子孫《しそん》は、肥後家や日高家だといわれています。

袂百合《たもとゆり》は、真っ白で気品《きひん》のある花です。草丈《くさたけ》は六〇cmから七〇cmくらいです。初夏のころ、天に向かって約十五cmほどの花を咲かせます。

口之島の南海岸の絶壁《ぜっぺき》に咲くこの花を、昔の人は命綱《いのちづな》をかけて採取《さいしゅ》し、袂に入れて取ってきたから「袂百合」というのだそうです。

江戸時代には、この名花《めいか》を、毎年十二本ずつ、島津家《しまづけ》を通じて幕府《ばくふ》に献上《けんじょう》したといわれています。

ところが、戦後、本土の業者がやってきて、高い値段で買い取り、たちまちなくなりました。

業者に買い取られた袂百合は、欧米《おうべい》に渡り、高貴なユリとして評判《ひょうばん》になりました。そして、欧米のユリをかけ合わせて品種改良《ひんしゅかいりょう》が行われ、カサブランカと命名《めいめい》されました。つまり、袂百合がカサブランカになったのです。

鹿児島県が天然記念物に指定したときは、もう、遅すぎました。袂百合はほとんどなくなっていたのです。

その後、何とか復活《ふっかつ》させようと、十島村《としまむら》役場でも一生懸命《いっしょうけんめい》に取り組みました。

その結果、北海道の愛好家《あいこうか》が持っていた袂百合の球根を分けてもらい、島に植えました。ユリは、少しずつ増えていきましたが、口之島の方によると、もともとの袂百合と比べると、花や葉の形がどうも少し違《ちが》うようだというのです。

自生地《じせいち》の口之島に帰《かえ》ってきた袂百合は、今後、代々、花を咲かせ続けていくうちに、元のようなすばらしい袂百合にもどるかもしれません。それを気長《きなが》に待ちたいものです。

［一九七一年　口之島　日高孝左衛門さん（明治二六年生まれ）より］

10　糸満《いとまん》の人たち

昔は、口之島も琉球交易《りゅうきゅうこうえき》をしたらしいのですが、日高孝左衛門さんが覚えてからは、口之島の船が琉球へ行ったことはないそうです。

しかし、沖縄からは、マーラン船（馬艦船《まーらんせん》）という大きな帆《ほ》かけ船がやってきて、木材や食料を買い、また、マーラン船は、泡盛《あわもり》（焼酎《しょうちゅう》）を壺《つぼ》に入れてきて、壺ごと売ったそうです。ほかにも、いろいろな琉球壺や南蛮《なんばん》壺を売ったということです。

マーラン船には、クリブネ（丸木舟《まるきぶね》・一本の大きな木をくりぬいてつくられた舟）を何艘《なんそう》か積んでいて、それをおろして糸満の人たちが乗ってきたそうです。そして、海岸にやってきて、エラブウナギをつかまえたり、ヤコ貝（夜光貝《やこうがい》）やナマコに似たジキリをとったりしたということです。

これらは、本土で売ると、よい金銭《かね》になったそうです。

明治三〇年代のことですが、そのころは、マーラン船に乗っている老人は、髪の毛を結《ゆ》い、若い人は髪の毛を短く切っていたそうです。

［一九六六年　口之島　日高孝左衛門さん（明治二六年生まれ）より］

11　ヒチゲー

口之島では、ヒチゲーの日は、旧暦十二月十六日の晩で、ホンボーイ（本祝《ほんはふり》・男の神職《しんしょく》）とネーシ（内侍《ないし》・女の神職）の神役《かみやく》が集落を回り、全戸をおとずれてお祈りをし、悪魔払《あくまばら》いをします。

ヒチゲーについては、中之島のところでくわしく記《しる》したいと思います。ヒチゲーは、トカラ各島で行われています。

ヒチゲーは、シチゲーともいい、本当は「節替《せつがわり》」の意味があります。節替とは、節分《せつぶん》のことです。暦《こよみ》では、節分の翌日は立春です。この日を境《さかい》に春が始まります。

節分の夜は、本土では鬼の面をかぶって豆まきをし、「鬼は外、福は内。」などと言いながら、悪魔払いをします。悪魔を追い払って、新しい春を迎えるのです。

口之島では、ホンボーイとネーシが、まず、トンチ（殿地《とんち》・いまの生活館）で祭り（お祈り）をしてから、川の神様のところへ行き、祭りをします。それから、村中の家を一軒《けん》一軒回り、戸口《とぐち》（玄関）のところで祭りをするのです。

ホンボーイとネーシは、悪魔が来ないように祝詞《のりと》を唱《とな》えます。また、家に来ている悪魔は去っていくように祈るのです。

この晩、村の人々は、この二人の神役に出会ってはならないといわれています。それで、人々は、小便をするような飲み物はひかえ、庭にある外便所に行かないようにして、家の中で家族と静かに過ごすのです。

昔は、ヒチゲーで神役が家々を回るときは、麻の緒《お》で、一〇円玉より少し大きいくらいの丸い輪をいくつか作った紐《ひも》の符《ふ》（お守り札）を、家族全員にくれたということです。トカラの島々では、いまも符をもらって首にさげているところがあるようです。

なお、各戸を訪れたとき、ネーシは次のような文句を唱《とな》えました。これは、江戸時代からの神言葉《かみことば》だそうです。

「島マルメ、召シテタモレ。国マルメ、召シテタモレ。ノゴメ（野米）、農作、沖ノエンマンモ、オユズリナサレシ人、マン（万）人ゾ、アイギヨ。アイサツモヨキヨウニ。シマノ災難モナキヨウニ、国ノ災難モナキヨウニ。ナカベガラヘハ、クダ

モノモ、マンプ（万帆）ノ風モ、吹カナイヨウニ。」（池田助市氏保管文書《もんじょ》より）

これを見ますと、「アイギヨ」とか「ナカベガラヘ」など、よくわからない言葉もありますが、神役たちは、符を与えて家族を守り、島中、国中の農作、果樹、漁業の災難がないように、台風も吹かないように、「召シテタモレ（守ってください）」という、祈りをしていることがわかります。

なお、ヒチゲーの晩に出歩くと、「目一つ五郎」という、おそろしい者にあうといわれます。目一つ五郎については、次の項で述べます。

十二月十七日は、口之島では、西之浜の宮権現《ごんげん》（恵比寿神《えびす》）に神様たちが集まって、今年は魚をどれだけとらせるか、稲はどれだけにするかなど、海と陸《おか》の収穫の話合いをする日だといわれています。

口の島中の神々が集まる日なので、村人は、仕事をしないで家におらねばなりません。港のそばには、ホンボーイが木の札を立てます。これには、

「ここに出入りすることはできない。御用船《ごようせん》なれば、その限りにあらず。」

と書いてあります。御用船とは、島津藩《はん》の公用船のことです。これは、見学《けんがく》した年（一九六六年）の祭りにも立ててあり、筆者も見ました。

［一九六六年　口之島　日高孝左衛門さん（明治二六年生まれ）より］

12　口之島の妖怪《ようかい》

昔、口之島に出たという、化け物の種類です。

①　イソコボウ（磯小坊）

磯浜には、松明《たいまつ》をともして魚をとる化け物が出ることがあったそうです。それをイソコボウといいます。それは、磯で死んだ人の亡魂《ぼうこん》だそうです。しかし、その火が出た後に行けば、魚がたくさんとれたそうです。

②　カッチン

山の中で「カン、カン。」と、木を切る音がしてくることがあります。それは、山の神がそうさせるのだといいます。

そんなときは、山の神をおがみながら、「災難を逃れるように」と祈ればよいといわれています。すると、音がぴしゃっと止むそうです。

音に向かって石を投げるなど、ワヤク（冗談やいたずら）すると、必ず災難があるというのです。また、山に行った人が、「今日は、カッチンがおって気持ちが悪かった。」などと言います。

③ 目一つ五郎

ヒチゲーの日（口之島では旧暦十二月十六日の晩から十七日の昼さがりまで）には、目一つ五郎という者が村を通るといいます。それで、人々はたまがって（びっくりして）、小便にも行けません。

ある家で、赤ちゃんに小便をさせていたら、赤ちゃんが急に泣き出したそうです。それは、赤ちゃんが目一つ五郎を見たからではないかと、みんながうわさしたそうです。

④ 川の人（ガラッパ）

川の近くにいるといわれていますが、見た人はいないようです。

⑤ 山猫

これは妖怪ではない。飼い猫が山猫になったのか、あちこちに出てくるといいます。

⑥ 憑《つ》きもの

これも妖怪ではない。山や磯などに行って、何かよくないものに憑かれたなどと言って、その人が急に元気がなくなったりすることがあります。

そんなときは、神役であるネーシ（内侍《ないし》）にたのんで、ハレ（お祓《はら》い）をしてもらうと、すぐ治るといわれています。

［一九六六年　口之島　日高孝左衛門さん（明治二六年生まれ）より］

13　子守歌《こもりうた》

口之島に古くから伝わる子守歌です。一九六六年八月十一日、肥後ミヤギクさん（当時八六歳）から聞きました。

ミヤギクさんは、背もしゃんとしてお元気な姿で、しかも優しくよい声で歌ってくださいました。五木の子守歌よりも、もっとしみじみした哀調《あいちょう》のある、独特の歌声でした。

「トカラの子守歌」とでも名付けられるような、優《すぐ》れた歌でした。しかも、そのメロディは、赤ちゃんをあやす状況によって少しずつ変わっていきました。

①　赤ちゃんをかるて（背負《せお》って）歌う歌（イ）
ハエ、んだがえー（わたしの家）の後《あと》にゃ、チンチロ鳥《どい》とヒヨ鳥《どい》と来たちゅうよ。
何《ない》よして鳴くどうか、ひだるーして（ひもじくて）鳴くどうかい、冷《ひ》よして（寒くて）

鳴くどうかい。

向江《むかえ》の坊主《ぼうず》は、香焚《こうた》くちゅ、何《なん》をしてたくどうかい、アア、ひだるして（ひもじくて）たくどうかい、ハ、寒《さむ》してたくどうかい。

ケープがとーまゃ（煙《けむ》いときは）、ヨーシ除《の》け。ヨーシ除けーば、寒かァ、寒かァ。

ヒーダルかーときゃ（ひもじいときは）、噛《か》みつけヨー、左のツブシーかみつけばアア、おら痛《いた》かヨー、ああ、痛かときゃ、仏《ほとけ》ん御器《ごき》で、ケースクエ、アーソイデ、ソイヨ。

※　チンチロ鳥《どり》は、秋に多く、ツバメみたいに腹が白か黄、背は黒い。尻尾《しっぽ》は長くて、絶えずきちきち動かしています。チンチンと鳴きますが、木には止まらず、地面をちょこちょこ歩く鳥です。キセキレイやハクセキレイのことを指《さ》します。

※　この歌は、ミヤギクさんが七、八歳のころ（明治二〇年頃）、ばあさんたちの歌を聞いて憶《おぼ》えたそうです。

②　赤ちゃんをかるて（背負《せお》って）歌う歌（口）
わしがこん子なんど、何《ない》ょして泣ァくーか。

やがて、オッカさんがもどってくるー、アーエー。
わしが、この子は、乳食《ちちく》うつて（乳を飲みたいと）泣くーが、ア、ヨイヨイヨイ。
わしがこの子が十《とお》にもなれば、わしもこのよに、苦労はせぬヨー。

③

寝かしつけるときの歌

アー泣くなーヨー、アー、泣くなーヨー。
ア、ネンネコセー、ネンネコセー。
ネンネコシーヤーイ、ネンネコチッチリ。
亀が子、歌う鳥《とい》の鶴が子。

④

赤ちゃんがあまり烈《はげ》しく泣くときの歌

泣くな、泣くな。泣けば、上ん山の熊どんに、くるったつけ。上ん山の熊どんは、ギーッギーッと鳴くどー。古家《ふるえ》の家《えー》の恐《おと》ろしよ。

⑤

赤ちゃんをかるうて歌う歌（②とはメロディが違う歌）

わしがこの子が男なら、石板《せきばん》（昔のノート代わりのうすい石の板）持たせ、ガッコ（学校）にやる、ヨイヨイヨイ。

わしがこの子が女子《おなご》ん子なら、裁縫箱《さいほばこ》持たせ、ガッコにやる、ヨイヨイヨイ。

⑥ 赤ちゃんをかるうて歌う歌（②⑤ともメロディが違う歌）
岳のずっぺん（頂上）から、車がさがる。明けて三月、行《い》たてみろ（行ってごらん）、サーヨイヨイ。

じさんばさん（おじいさん、おばあさん）、長生きしやれ、米もやすなる（米も安くなる）、世もよなる（よくなる）。

［一九六六年　口之島　肥後ミヤギクさん（明治十八年生まれ）より］

※ 口之島子守歌は、すばらしい歌詞とメロディの童歌《わらべうた》です。ミヤギクさんは、次々に六曲の子守歌をきれいな声で歌ってくださいました。令和のいまでも、年寄《としより》のどなたかがメロディをおぼえているはずです。この歌詞で、口之島の子守歌を復活できないものでしょうか。

なお、トカラの各島にも、子守歌はありました。トカラ全体に共通する独特の哀調《あいちょう》が、子守歌にも民謡《みんよう》にもあります。トカラは、すばらしい民謡の宝庫なのです。各島の民謡の復活を願ってやみません。

14　グェーローの神

グェーローの神ともゲーローの神ともいい、「越郎大明神《ぐえーろうだいみょうじん》」と書きます。いったい、何の神さまでしょうか。

この神は、村から西之浜への旧道をあがりきったところの左上にまつってあります。道脇に小さな木造鳥居《もくぞうとりい》があって、そこを入っていくと、二つのほこらが左右に見えます。

左がグェーローで、右が御岳《おたけ》の神です。戦争中、村の人たちは御岳に登って、出征《しゅっせい》兵士の無事を祈りましたが、老人たちはそれができないので、この右のほこらにおまいりしたそうです。このほこらは昔からあって、御岳に登れない人が、そこから御岳をおがんだということです。

では、グェーローは、何の神なのでしょうか。

八月と十一月の大祭《おおまつ》りのときは、ネーシ（内侍《ないし》・女の神職）がやってきて、ヘイジ（幣串《へいぐし》・御幣《ごへい》）を上げて、神歌を歌います。また、区長をはじめ、神役、総代もまいります。

ヘイジは、入口の鳥居《とりい》の左の柱の脇に立てます。この下には、昔からそなえ物として、古銭《こせん》を埋めてあるといわれています。

ところで、グェーロー神とは、いったいどんな神さまでしょうか。

じつは、この神には、八月の米の大祭りのときは、肥後由之助《よしのすけ》さんと肥後栄之助《えいのすけ》さんの家から大きな餅《もち》を十八枚上げます。それは、おまいりにきた人達に切ってくれるのです。この後《あと》、ネーシのお神楽《かぐら》があります。

この神は、村と西之浜の境目にあって、両方を守っている神でもあるのです。

そんな大事な神さまですが、グェーローというわけは、じつは、伽藍《がらん》という言葉が元のようです。伽藍、すなわちガランは、もともと、寺が建っている土地を守る神さまなのです。中之島や宝島にもゲーローがあるし、種子島にはガローという土地神がたくさんあります。本土にもまれにあります。

この伽藍信仰《しんこう》は、いろいろ調べてみますと、数百年前の中世のころ、本土から入ってきた信仰のようです。

口之島の人々は、村の入口にグェーロー神をまつって、村をしっかり守ってもらっ

グエロー(越郎。伽藍神〈がらんしん〉)を拝む地祝(じぼーい)達(口之島、1972)。

ているのです。
［一九六六年　口之島　日高孝左衛門さん（明治二六年生まれ）の話に筆者の考えを加えました］

なお、村のテラ（墓地）下の阿弥陀《あみだ》さまのそばには、「ガランどん」といって、石塔を立て、花立てを置いてあります。カラスが作物を荒らすときは、そこに細長いワラ皿をおいて、その上にそなえ物をします。カラスがそれを食べると、もうそれからはいたずらをしなくなるといいます。そのワラ皿をカラス笥《げ》と言います。笥は食器のことです。

これも伽藍神《がらんかみ》です。この神は、阿弥陀さまが置かれている土地を守っている神さまです。右のグェーロー神と同じ系統の地神《ちがみ》ではありますが、まつる時代がちがって、別々になったのでしょう。

二．臥蛇島《がじゃじま》

1　消えた山羊《やぎ》の子

　戦争中は、臥蛇島の灯台《とうだい》めがけて空襲《くうしゅう》がありました。そんなころ、肥後貞則《さだのり》さん（当時三七歳）は、一頭の山羊を飼っていたそうです。

　やがて、山羊は、子を二匹産んだのです。家の裏に山羊小屋を作って、親子ともに入れておいたそうです。

　ある晩、人が寝静《ねしず》まる夜の九時ごろ、山羊の子が声を上げて叫ぶのです。貞則さんは、弟を山羊小屋に見にやったそうです。

ところが、弟は家に飛んで帰り、

「山羊小屋のわきに、赤い犬が来ている。こわかった。」

臥蛇島と十島村教育に尽力された比地岡英雄先生。十島丸船上にて（1964年）。

と言ったそうです。
すると、父親が斧《よき》（おの）を持って、大声を立てながら山羊小屋へ走ったのです。
しかし、赤い犬はいなくて、山羊の子が一匹いなくなっていたそうです。
あくる日、家族中で付近をさがしたのですが、山羊の子は見つからなかったそうです。

［一九六六年　臥蛇島　肥後貞則《ひごさだのり》さん（昭和四年生まれ）より］

2　臥蛇島の妖怪《ようかい》

ところで、臥蛇島にいる妖怪は、次の七種類です。臥蛇島は、一九七〇年に全戸が各地に移住したため、現在は無人島ですが、これは、その四年前の話です。

①　ナイカどん

何かわけのわからないもの。正体不明なもので、そんなもんが出ることがある。それをナイカどんという。

②　ヤマヒメジョ（山姫女）

灯台に勤めているユーキさんという人がヤマヒメジョを見たそうだ。灯台のところに神山があった。灯台の工事をするときに、コマムネ神社をつくって、灯台のわきにまつったのであった。

ある日、ユーキさんが自分の部屋の窓のそばに、横になって休んでいたそうだ。すると、その窓から、長い着物と羽織を着たべっぴんさんが、ユーキさんを見ていたそうです。ユーキさんは、こわくなって毛布をかぶった。

しばらくしてから窓を見たら、もう、女はいなくなっていた。ユーキさんは、その女はヤマヒメジョにちがいないと語ったそうだ。

さて、今度は貞則さんの話です。

ある夜、夜中に貞則さんはコイヤ（トイレ）に行った。ところが、そばに女の姿があって、帯から上が見えていた。黒い衣に模様の入った着物を着ていたが、帯から下は全く見えなかった。

頭は、洗ったばかりの濡《ぬ》れ髪《がみ》で、後ろへ垂《た》らしていた。すると、ふわりふわりして、人間が歩くように、木戸（木の門）の方へ行った。

それを見て、貞則さんは頭がクワーとなって、夢中で家の中に入り、毛布をかぶって丸くなって休んだ。

じつは、貞則さんの母親が亡くなって、まだ日が浅かった。貞則さんは、母のモーレイ（亡霊《ぼうれい》）が現れたのではなかろうかと思ったそうだ。

③

人魂《ひとだま》

重い病気になって、もう四、五日しかもたないというときは、火の車が海の方から出て、部落の中へ入ってくるといわれている。

二年ほど前、おじさんが重い病気になった。貞則さんは夜一〇時ごろ、見舞いに行った。

ところが、その途中、火の玉が見えた。初めに一つ、海から飛んできて、西の墓地へ入っていった。それから、次々に小さな火の玉が海の方から見え、並んで墓地の方へ行って、ぱーっと消えた。

火の玉は、鉄を焼いたのが青く光るような色だった。貞則さんは怖《こわ》くなって、家に走り込んだということです。

④

人魂と線香の匂《にお》い

人が亡くなる前は、線香の匂いがしてくることがある。

ある晩、十島丸《としまる》がやってくることになった。肥後オサトというおばさんは、電信電話公社の建物のある宮崎鼻に行って、十島丸はまだかと見ていた。十島丸は、中之島から臥蛇島へやってくるはずだった。

ところが、十島丸の灯《あか》りは見えず、沖の方から火の玉が部落に飛んできた。

すると、線香の匂いがした。オサトさんは怖くなって、家に走り込んだそうだ。そのころ、重い病気になって寝ていたもう一人のおばさんが、間もなく亡くなったそうだ。

⑤ 夜走《よばし》り

以前は、丸木舟に帆をかけて、中之島や平島へ航海をしていた。夜、航海していると、丸木舟の脇に人間の手が見えたり、前方に島が見えたりすることがある。そんなときは、「ヤリキレー」と言って、突っ走る。そして次はまた、島ができることもある。そんなわけで、夜走り（夜の航海）は、しない方がよいと、平島の人々も言っていた。

海で化け物がついたら、自分が港に着くまで、後を付いてくるという。

［一九六六年八月　臥蛇島　肥後《ひご》貞則《さだのり》さん（昭和四年生まれ）
肥後《ひご》伊勢熊《いせぐま》さん（明治二七年生まれ）より］

3　カツオと神々の島

臥蛇島は、カツオがたくさんとれる島です。島のまわりは、カツオの大群が寄ってくる大漁場として有名です。

また、臥蛇島に住む人々は、トカラのほかの島々と同じように、神さま信仰《しんこう》の厚いところです。

種子島家の史料によりますと、永享《えいきょう》八（一四三六）年、島津の殿さまから種子島の殿さまへ、「臥蛇島と平島《たいらじま》の二島《にとう》を賜る《たまわ》」とあります。

そして、永正一〇（一五一三）年には、臥蛇島から種子島の殿さまへ貢物《みつぎもの》を持ってきたという記録があります。それは、カツオ節五連、綿十八把《わ》、煎脂《せんじ》（カツオから取れるおいしい油）の小桶《こおけ》でした。これを運んだのは、丸木舟ではありません。もっと大きな帆掛《ほか》け船です。

『李朝実録《りちょうじつろく》』という、朝鮮《ちょうせん》の史書《ししょ》によりますと、宝徳《ほうとく》二（一四五〇）年、朝鮮人四人が臥蛇島に漂着《ひょうちゃく》しました。

臥蛇島は、琉球と薩摩のちょうど中間《ちゅうかん》にあるため、漂着した四人のうち、二人は琉球へ送られ、あとの二人は薩摩へ引き取られ、そして、朝鮮へ送られました。

このころは、トカラの島々は、琉球と薩摩の両方に支配されていたのです。当時の臥蛇島より北の口之島は薩摩の勢力下にあり、臥蛇島より南の中之島などは、楠木《くすき》集落（沖縄の城を表す「グスク」と同じ名称）を拠点《きょてん》として、琉球兵が守備していたと考えられています。

琉球は、硫黄採取《いおうさいしゅ》を目当てにトカラまで来ていたのです。硫黄は、悪石島《あくせきじま》、諏訪之瀬島《すわのせじま》、中之島の御岳《おたけ》でとることができたのです。ここでとった硫黄は、中国に運んで売ると、莫大《ばくだい》な利益になったそうです。中国では、硫黄を火薬の原料としていました。

臥蛇島の神さま信仰《しんこう》としては、八幡《はちまん》さま、若宮《わかみや》さま、春日《かすが》さま、山の神さま、お伊勢さま、コマムネ神社（漁《りょう》の神）、川の神さま、エベスさま、荒神《こうじん》、島中《しまなか》どんなどの神々があって、それぞれ小さな社殿《しゃでん》をつくってまつっていました。

そして、ハンタブラという平地の所には、トンチ（殿地）という場所があって、社務所《しゃむしょ》をおいて、四季のお祭りをしていたのです。

明るい臥蛇島の子供達（1966年）。

このほかに、集落のまわりには、神山といって、そこの森の木は一本も切ってはならないという神聖な地が何カ所もありました。

それは、ナコンヤマ（ここには御岳《おたけ》の遥拝所《ようはいじょ》がある）、ミヤバタケ、山の神山、荒神山《こうじんやま》などです。

集落から山々を望むと、一番高い御岳《おたけ》、その右側のメダケ、少し離《はな》れた左側の矢《や》筈岳《はずだけ》、手前のナコン山、右側のウエゲーロー（臥蛇島小中学校の上の山のこと。ゲーローは伽藍神《がらんしん》。ウエゲーローは、上伽藍と書く。）、そして、ずっと右を見ると、海辺に「前の立神《たちがみ》」があります。

立神は、海辺にそそり立つ岩山のことで、カツオ鳥の巣になっています。カツオ鳥は、シラツノとも呼ばれ、カツオの群れのいる海の上空に、群《むら》がって飛んでいます。じつは、カツオ鳥はカツオが追いかけた小魚（イワシ）の大群をとろうとして、その上に群れて飛んでいるのです。

このように、たくさんの神々に守られて、臥蛇島の人々は暮らしてきました。そして、神役を中心に、社務所では、年間のいろんな祭りを盛大にしていました。特に、四月の麦《むぎ》祭り、八月の粟《あわ》の祭り、十一月の霜月《しもつき》祭りは盛大でした。

臥蛇島は、人口がだんだん少なくなって、昭和四五（一九七〇）年、全員が移住して、無人島となりました。

ときどき、灯台船が見回りにやってきます。灯台は、今もそのままありますが、島民たちは、トカラの島々や鹿児島、関西など、各地に移住していきました。その後、十島村役場の世話で、島に放した数頭の馬毛鹿《まげじか》（馬毛島《まげしま》のシカ）が増えて、いまではたくさんのシカが住人となっているようです。

筆者が臥蛇島に行ったとき、ただ一人で学校を運営しておられた比地岡英雄《ひぢおかひでお》先生は、最後まで島のためにつくされ、その後も関西などの島民の移住先を訪問されて、励《はげ》ましておられました。のち、先生は南日本文化賞の栄に輝きました。

［一九六六年　臥蛇島　肥後伊勢熊《ひごいせぐま》さん（明治二七年生まれ）より、他］

4　ガラッパの仕返し

明治四〇年、肥後伊勢熊さんが十五歳の時の話です。

鹿児島の知覧出身の人で、岩坂助次郎という人が臥蛇島に来ていました。

冬のある晩、伊勢熊さんは助次郎さんといっしょに、夜釣《よづ》りに行こうということになって、オーガネという浜に行ったそうです。

オーガネはながめのよい所で、昼間には、平島《たいらじま》、諏訪之瀬島《すわのせじま》、悪石島《あくせきじま》、小宝島《こだからじま》などが見えています。

ところが、午後九時ごろ、助次郎さんは伊勢熊さんに、

「おまや、ここで火をたいて、ぬくんでおれ。おれは釣ってくるから。月が出てから お前を連れに来るから。」

と言ったそうです。

伊勢熊さんは、火をたいてぬくんでいたら、眠気《ねむけ》がさしてきました。一人でさびしいので、眠ろうにも眠れずにいたら、そのとき、近くで竹を割るような「カチャーッ、カチャーッ。」という音がしたそうです。

伊勢熊さんは、「こらぁ、なんでん、ガラッパどんがやってきた。」と思ったそうです。じっとして助次郎さんを待っていると、やがてもどってきたそうです。

「おじさん、じつはこうこうじゃった。」

と言うと、助次郎さんは、

「ふとどきなやつじゃ。人をおどかすとは。」

と言って、釣り竿の一本を取って、その辺をたたいて回ったそうです。

それから、二人は夜釣りに出ましたが、その晩は大漁《たいりょう》で、アラ、カブ、クロダイなど、七〇匹も釣ったのでした。

そしてその晩は、近くの海岸のガマ（岩穴《いわあな》）に泊まったそうです。

次の日の朝、二人は潮時《しおどき》（海の流れ）がよいからと言って、朝飯《あさめし》の前に釣りに行っ

たそうです。

伊勢熊さんが一足先にガマにもどってみると、おどろいたことに、七〇匹の魚の目ん玉がえぐり取られてしまって、一つもない。それに、朝飯用の米も一粒もなかったそうです。

やがて二人は、朝飯を食わずに、目ん玉のない魚を半分分けにして、かついで帰ってきたということです。

そこは、小道でしたが、オーガマ、カネノヤマ、イタグヤマ、ノンツヅ、サケジャなどの地を通る坂道でした。

二人は、ひもじくて仕方がなかったのですが、七〇匹の大漁《たいりょう》のおかげで、なんとか集落にたどり着きました。

伊勢熊さんは、蒲《がま》の茎で魚の目を抜き、米粒を食べてしまったのは、ガラッパであったに違いないと思うのでした。そし

臥蛇島を訪れた兵庫県の中学生達。臥蛇島の波止から十島丸へ向うところ。アメリカ占領からまもない頃で、「ここは日本だ」と日章旗をひるがえして進む。

て、

「あれは、恐《おそ》ろしい思い出だ。」

と言われました。

［一九六六年　臥蛇島　肥後伊勢熊《ひごいせぐま》さん（明治二七年生まれ）より］

5　海の亡魂《ぼうこん》

高崎岩太郎という人に、兵隊の召集令状《しょうしゅうれいじょう》が来ました。岩太郎さんの母親は平島《たいらじま》出身の人で、そのときは、ちょうど平島に行っていました。

そこで、岩太郎さんは、平島へ母親を迎えに行きました。六、七月のことでありましたが、丸木舟に肥後伊勢熊さんのほか三人が乗り、もう一艘《そう》の丸木舟には二人乗り込んで、平島に行ったのです。

平島に着くと、岩太郎さんの母親を乗せて帰りました。帰りは風がなく、艪《ろ》ばかり押して進みました。急がなければならないのですが、なかなか進まないのでした。しばらくすると、二人乗りの丸木舟が行方不明になりました。そこで、ハト（口笛）を吹こうと言い、指を口に当てて、「ピー、ピー。」と吹きました。

そのとき、舟は臥蛇島の三里（約十二㎞）近くまで来ていたのでした。すると、西の方にガンドウ（昔の吊《つ》り鐘《がね》型《がた》の鉄《かね》提灯《ちょうちん》）の灯《あか》りが小さく灯《とも》ったのです。

「はら、あんやつどま（あの人たちは）、あすけ（あそこに）出《ず》る（いる）。」

と言って、また、ハトを「ピーピーピー、ピーピーピー。」と吹いたそうです。

するとガンドウの灯りが南の平島の方へ行ったのです。

「あんやつどま、もう来られんから、平島さね（平島の方へ）、行くとこいかな。」

こう言いながら、四人は臥蛇島へ向かって漕《こ》ぎました。

ところが、伊勢熊さんの目の前に、平島が浮《う》かんできたのです。

「これはおかしい。これはいよいよ海で死んだ人の亡魂《ぼうこん》の仕業《しわざ》じゃな。」

と言って進んでいると、何か丸い物が二つ、舟のそばに来たのです。

「こいに（これに）、だまさるっといかんど（だまされたらいけないぞ）。臥蛇を見て走れ。」

と言って漕いでいるうちに、その丸い物はポッと消えました。

すると、そこに、宮崎県油津の船のような小型船が近付《ちかづ》いてきたのです。船は上下にゆれているのですが、白波は一つも立てずにやってくるのでした。

「あれは、亡魂じゃ。白波を一つも立てぬどう。」

こんなときは、「やっどう（やるぞう）」と声をかけなければならないと言われていました。

そこで、その舟に向けて、「やっどう。」と叫《さけ》んで艪《ろ》を押しました。すると、油津のその船は、ポッと消えたそうです。

そして、臥蛇島に向けて、一時間ばかり、一生懸命《けんめい》漕《こ》いで、やっと岩屋の所に着きました。そして、みんな、岩屋に湧《わ》く水を飲んで、元気を取りもどしたのでした。

しかし、そこから集落に行くには、遠いのです。東回りで行くか、西回りで行くか相談して、結局、東回りで帰ることになり、丸木舟を漕いでいきました。

そのとき、また、沖に二つの灯《ひ》が灯《とも》りました。

「こらぁ、まだ、亡魂がついておるど。しかし、お前たちがなんぼだまそうとしても、もうだまされんぞ。」

こう言って、エビヤというところに着きました。二つの灯は、小臥蛇島《こがじゃじま》に向かっていったのでした。

そうするうちに、夜が明けて、朝の八時ごろ、ようやく港に着いたそうです。

※　話は以上ですが、二、三、書き足しておきます。

○　ハト（口笛）は、悪魔を寄せるといって、「晩に航海するときは絶対に吹くもんじゃなか。」といわれています。

○海上に島ができたら、本当の島なら白波がたっていますが、亡魂の島や船には、白波が立たないといわれています。

○臥蛇島から平島へは、丸木舟を漕《こ》いでいくと、二時間半から三時間かかるということです。帰りも同じです。ただし、潮の流れによって違います。潮流《ちょうりゅう》が逆だと、四、五時間かかるそうです。

○臥蛇島付近では、これまでもだいぶ遭難者《そうなんしゃ》が出ているので、亡魂がよく出ると言われます。伊勢熊さんが十二歳の時には、九艘の丸木舟でノンゼという釣り場にカツオ釣りに行ったのですが、強い風が吹いて、海がしけてきました。

みんな、ノンゼに舟を捨てて泳いでいきましたが、田中という兄弟は、丸木舟に乗ったまま来おったところが、ハナレというところを通るとき、潮の流れが強くて、舟が沈んでしまいました。二人は泳いできたのですが、兄は助かり、弟は助からなかったそうです。

○明治三〇年には、坊津の丸八という船が遭難《そうなん》しました。帆船でしたが、スンジャという浅瀬《あさせ》に乗り上げてしまったのです。

○明治四四年ごろには、坊津の泊の海幸丸第二号という船が、台風のために、兄弟船の海幸丸第三号船と衝突《しょうとつ》してしまいました。三号船は無事でしたが、二号船は浸水したのです。しかし、乗組員三六名は、臥蛇島まで泳いで、無事に上陸することができました。ま、こういうこともありました。

［一九六六年　臥蛇島　肥後伊勢熊《ひごいせぐま》さん（明治二七年生まれ）より］

6　山姫《やまひめ》じょと天狗《てんぐ》のおどし

山姫じょは、絵に描《か》いたようにきれいな女で、着物を何枚も着ているそうです。臥蛇島の平たん地の宮崎の鼻は神屋敷《かみやしき》といい、昔は、山姫じょがよく出たところだといいます。

昔、そこに枕崎の上釜甚之助《うえがまじんのすけ》さんという人がカツオ釣りのために小屋をつくって、坊津、泊、鹿籠《かご》、加世田方面から漁夫《ぎょふ》を連《つ》れてきたそうです。ところが、その小屋のそばに、十八、九歳のきれいな女がよく出てきたそうです。女の髪は後ろへ下げ、地面にまで着《とど》いていたといいます。山姫じょといって、みな、恐《おそ》れたということです。

もう一つ、別の話。伊勢熊さんは、ナコン山のアコー畠《ばたけ》という所でサトイモを作っていたのでした。

ある日、サトイモとりに行き、帰る途中で大きな石がグァサーと落ちてきました。

山姫じょと天狗のおどし

「こら、天狗どんが落としたな。」と思ったそうです。

そこで、落ちた所には、石が落ちているか、木が倒《たお》れているはずだと思って、行ってみましたが、何もなかったそうです。

もう一つの話です。昭和七、八年ごろ、九人共同でナバヤマ（シイタケ栽培）をするとき、クスクヤマに、肥後熊次郎というじいさんが行っていたが、

「石が落ちてくっどう。はよ、のけぇ（逃げろ）。クエ（崩《くず》れ）がしてくっどう。」

と、おるだ（叫んだ）そうです。

そこで、皆、除《の》けたが、「ゴオーッ」という音は聞いたけれども、石のクエはなく、音だけであったそうです。

こんなのを「天狗どんのおどし」というのだそうです。

もう一つ、別の話ですが、明治のころの臥蛇島の総代役に、渡辺源次郎《わたなべげんじろう》さんという人がおって、朝早く、自分の畑に行きおったそうです。

ところが、大きい杖《つえ》をついて、頭が長く、白髪《しらが》にあごひげが生え、白い着物を着た老人が出てきたそうです。源次郎さんがびっくりしていると、やがて消えたということです。

［一九六六年　臥蛇島　肥後伊勢熊《ひごいせぐま》さん（明治二七年生まれ）より］

7 ガラッパどんと赤子の声

伊勢熊さんの弟と隣の男が、クスクン山にミカンちぎりに行ったそうです。ところが、弟がミカンをちがりながら下を見ると、真っ赤になった足の長い者が、頭に皿をカンメて（乗せて）通りかかったそうです。

そこで、隣の男を呼んで、

「もう、ハヨ（早く）帰ろう。」

と言って、帰ったことがあるそうです。

中之島では、ガラッパと相撲をとったという人がいたそうです。ガラッパどんは、水皿をカンメて（乗せて）いるので、その皿を割れば、もう向かっては来《こ》ないといいます。

さて、次は、変な話です。

伊勢熊さんが十七歳のころ、夕方遅《おそ》くに、コーカシラ山へ薪《たきぎ》取りにいったときのこと。

薪を取って、枯れている枝を五、六本切っていると、赤子の泣き声がしてきました。

「これは、不思議じゃ。赤ん坊はいないはずじゃが。」

と思って、声の方に近寄ってみると、山鳩《やまばと》（黒鳩《くろばと》）の子が羽根《はね》を上下に振《ふ》って、鳴き方の稽古《けいこ》をしていたのでした。

そこで、集落にもどってから人に言うと、

「それは、山鳩に見せて、お前に知らせたのじゃ。それはガラッパどんじゃっただろう。」

と言われたそうです。

伊勢熊さんは、すぐ合点はしなかったのですが、不思議な体験として心に残ったといわれます。

［一九六六年　臥蛇島　肥後伊勢熊《ひごいせぐま》さん（明治二七年生まれ）より］

三、中之島

1　ネズミの大発生

昔、中之島や平島《たいらじま》では、ネズミが多かったといいます。大正二（一九一三）年には、ネズミがたくさん出て困ったそうです。

そこで、中之島の代表が鹿児島へ行き、日置《ひおき》のザッツどん（座頭どん）と桜島のミコさん（巫女《みこ》さん）をたのんできて、祈祷《きとう》をしてもらったそうです。

すると、ミコさんが、

「昔、日向《ひゅうが》の海賊《かいぞく》の東与助《ひがしよすけ》が中之島で死んだので、そのモーレイ（亡霊《ぼうれい》）がたたっているのだ。」

と言ったそうです。

そのネズミがたくさん出た年は、アワ畑《ばたけ》を作るために、ヤルセというところの竹山を五〇ヘクタールも、みんなで切り開くとき、あちこちの竹に赤い血がついていたそうです。みんなは、何カ所かに小屋をつくって泊まっていたのでした。近くには、神さまをまつる小さな社《やしろ》がありましたが、その道にも血がついていて、みんな、さわいだのでした。

みんなで切り開いた竹山は焼いて、アワ畑《ばたけ》にしました。すると、七月ごろには、芽が出てどんどん成長し、黄色くなってきました。

しかし、そこにネズミがついて、アワを食い、アワ畑は全滅《ぜんめつ》してしまいました。そして、中之島全体にネズミがはびこり、村近くのカライモ畑（サツマイモ畑）も食いつぶしてしまったのです。

青年たちは竹竿《たけざお》を持って、カライモ畑をたたくと、たちまち五百匹も千匹も打ち殺したのでした。

夕方、家の雨戸を外《はず》して庭に置き、その戸の下にカライモを転がしておいて、ひもで引いて戸を落とすと、四、五〇匹のネズミが入っていました。海辺にも、まるでアマメ（フナムシ）が群がっているようにネズミが出て、また、山も同じで、島中にネズミがあふれたのでした。

そこで、先に述べたように、ザッツどんとミコさんを呼んで、祈祷《きとう》をしてもらったのです。

ザッツどんは、錫杖《しゃくじょう》を土につき、ガランガランと鳴らせて、何やら祈《いの》り言葉をつぶやき、ミコさんは、シケ（ふるえ）がきて神様が乗り移り、両手を合わせておがみながら、何かつぶやいたそうです。

　その後、二人は、

「十月になれば、少しは減るだろう。今年は、ムギづくりは大丈夫だ。」

と言ったそうです。

　すると、十一月初めには、本当にネズミは一匹も見つからんようにいなくなったので、ムギをまいたそうです。

　ミコさんは、

「あちこちについた血は、お前たちが神さまの山を切り開いて、アワ畑にしたからだ。その血は神さまの涙だろう。」

と言ったそうです。

　そこで、人々は、あちこちに小さい神社をつくって山姫を祭りました。その神社は、いまは、村の地主大明神《じぬしだいみょうじん》の社《やしろ》にいっしょにまつってあります。

　じつは、ネズミの出る前の年は、中之島中《じゅう》の竹山が枯れて、実がなったのでした。その種子から出た竹が、いまは全島をおおっています。

　昔の人が言うには、かつおを釣るときは、カツオ鳥《どい》が群れているところに行くとよいとのことです。前ページの「3　カツオと神々の島」でも書いたように、そこには、イワシなどの小魚が群れていて、それをカツオが追い上げて、食いつくのだそうです。そして、カツオ鳥も空からイワシを狙っているのだと言います。また、ネズミの大群が海を渡るときも、カツオ鳥が群れるのだそうです。そのネズミの大群は、実際に、平島から中之島へ海原《うなばら》を渡ってきたらしいです。

じつは、平島でもネズミが大発生して困ったのです。平島では、種子島からイタチをつれてきて雌雄《しゆう》（めすとおす）二、三組放ったところが、イタチがたちまち増えて、ネズミを襲《おそ》ったので、ネズミはいなくなったそうです。

このことを聞いて、中之島でも平島からイタチを数匹入れたところが、たちまち増えて、ネズミはいなくなり、それからアワもコメもカライモも、よくつくれるようになったといいます。

中之島の里村のお寺のそばには、ネズミの墓というのがあります。毎年、三ヶ月ごとに、甲子《きのえね》の日がやってくると、寺の番役の人が、オハナメイ（玄米《げんまい》）を供えておがみます。ネズミを退治して、殺した罪滅《つみほろ》ぼしの供養《くよう》をしているのでしょう。

ところで、イタチはニワトリも襲《おそ》うので、しっかりしたニワトリ小屋を作らないといけない。ニワトリは、放し飼いにしておくと、夜は高い木の枝に止まって、イタチの襲撃《しゅうげき》を防いでいます。

イタチが一番恐《おそ》れているのは、犬だそうです。犬の鳴き声を聞くと、イタチは逃げていくそうです。しかし、村の人は、犬神《いんがめ》（人に危害を加えるという、犬の姿をした悪い神）がやってくるといけないといって、犬を飼うのを嫌《きら》っています。

なお、アワ山を共同で開くのは、ネズミがやってきて食い荒らすのを避《さ》ける意味もあったらしいです。

［一九六四年　中之島　永田常彦さん（明治二五年生まれ）より］

2　白木《しらき》のじいさんとばばさん、ほか

昔、中之島の白木に、じいさんとばばさんがいたそうです。

ある年、白木が飢饉《ききん》になって、里村に食料をもらいにきました。いくらかもらって帰るとき、白木の近くの千尋《せんぴろ》という川にさし迫《せま》ったときのことです。じいさんは、途中で米の粒を二つ食い、ばばさんには、一つだけ食わせました。すると、じいさんは川を渡りきりましたが、ばばさんは渡りきれず、川のそばで倒《たお》れて亡《な》くなったそうです。

人々は、ばばさんの墓を川の手前にたて、じいさんの墓は、じいさんが亡くなってから川の向こうにたてたそうです。

いまも、そこを通る人びとは、ばばさんの墓には、春の彼岸には薪《たきぎ》を、秋の彼岸には柴《しば》を供《そな》えますが、じいさんの墓には石を投げて通るので、墓の石が欠けている

そうです。

　そこは、中之島の御岳《おたけ》の中腹を通っていくところで、口之島や屋久島が間近《まじか》に見えて、たいへん景色のよいところです。

　千尋川《せんぴろがわ》は、かねて水はないのですが、雨が降ると流れ、近くに千尋滝《せんぴろたき》が真っ白く落ちるのが見られます。

　白木と里村の間には、中岳さまという神さまをまつっていました。そこには、三つ叉《また》の金《かね》の鉾《ほこ》があったということです。

　白木は、海ぎわを白木の籠《こもり》といい、よい港になっています。港のそばには石を立ててエベスさまを祭り、白木の太夫《たゆう》（神主《かんぬし》）が見守っています。

　ところで、千尋滝の先の出っ鼻のところを草瀬《くさせ》といいますが、明治八、九年ごろ、金塊《きんかい》を積んだ大船《たいせん》が時化《しけ》のために沈《しず》んでしまいました。

　その船は、琉球から鹿児島へ行って金塊《きんかい》を売るつもりでしたが、金の値段がよくないということで、引き返して琉球へもどる途中でした。

　沈んだ船の金塊を引き上げようとして、琉球から何回もやってきましたが、そこは海の深さが二〇尋《ぴろ》（約三〇m）もあって、しかも潮《しお》の流れが速いところなので、なかなか引き上げられないのです。

　ところが、沈んでから十三年目になるとき、桜島出身の裸《はだか》もぐりの男がやってきて、八箱を引き上げたのです。

そのときの金塊を永田常彦さんは見たそうですが、幅が五分《ごぶ》（一・五㎝余り）、長さ三寸（九㎝）ほどの細長い卵型だったそうです。ヤスリでちょっとこすってみたら、ピカピカの金色だったそうです。

草瀬付近はサンゴ礁《しょう》が取り巻き、砂も混《ま》ざって、見つかりにくいところだということです。

［一九六四年　中之島　永田常彦さん（明治二五年生まれ）より］

3　泉どんと川の人

昔は、水神《すいじん》さまを川の人といいましたが、川の人は、あちこちによく出たそうです。七つ山というところは川が多く、川の人もよく出たといいます。

ところで、出水《いずみ》どんという人が魚とりに行くと、川の人は魚を持たせてくれたそうです。

あるとき、泉どんが七つ山と高尾の間まで来ると、川の人が、

「お前が早くこんから迎えに来た。」

と言ったそうです。そして、

「お前が来るときは、ニラ、センモトを持って来るな。」
と言ったのです。
その日、魚をたくさんとった泉どんは、
「これは、いよいよ、川の人からとらるっど。」
と思ったのでした。それで、白木の西のヒヤハイと
いうところの川に来たとき、泉どんは、ひょうたん
を川の中に持って行って、
「川の人よ。お前は、これを川の底に押し込みがなっ
か、押し込んでみよ。」と、言うたそうです
すると、川の人が現れて、ひょうたんを下に押し
込むと、ひょうたんは、上にがぼーっと浮き上がる。
押し込んでは、がぼーっと浮き上がってなかなか沈
まない。とうとう、川の人が負けてしまったそうです。
「そいなら、お前が押し込みがならんとすれば、おれの言うことを聞くか。」
「はい。聞く。」
「じゃあ、中之島に木や竹の青い物があるうちは、人にはさわるなよ。」
「ぜったいにさわらない。」

中之島の村と御岳(海域979m)を望む。手前道下の家は温泉(1966年8月)。

こうして、泉どんは、川の人、つまり水神さまを押さえつけて支配するようになったそうです。

川の人は、ガワッパどんと同じ妖怪《ようかい》ですが、川のガワッパどんに対して、山の怖《こわ》いものをボゼというそうです。

「今日は、山でボゼを見た。」

などと聞きます。ところで、

「川の人は、泉どんがおさめつけたので、中之島にはさわらん、中之島の人がガワッパにとられることはない。」

といいます。

霜月の大祭りのとき、三日目の宮下《みやくだ》り（この日は地主大明神のお宮に泊まる）のときは、神役の人たちがハナゴメ（初米《はつまい》）を各戸から集めて持っていくのですが、そのときは、お宮よりも泉どんの家から先に持っていってまつるのだそうです。

泉どんの生まれた家は、里村の宮江《みやえ》チヤさんの家ですが、いまは、鹿児島に移住されて、空き家になっています。

また、宮川の関定能《せきさだよし》さんの家の下のほうに、水神さまをまつってあって、四季の大祭りのときは、そこにもハナゴメをあげてからお宮へ行くのだといわれています。

［一九六四年　中之島　永田常彦さん（明治二五年生まれ）より］

4　ツボキの祟《たた》り、山猫の話

終戦前のこと、永田常彦さんが白木直助さんとヒヤハイ（泉どんがひょうたんを沈めた川の下流）に、鉄道の枕木にする木の積み荷の仕事に行っていたときのこと。そこには、小さなツボキ（岩に水がたまっているところ）がありました。直助さんは水を飲み、そして、川の中に小石を投げ込んだのです。そのとき、直助さんは、

「この石を投げたので、川の人も頭の皿を割られたじゃろ。」

と、言ったのです。そこで、常彦さんが、

「そんなことを言うな。」

と、注意したのでした。

すると、直助さんは、ツボキの中に竹をつっこんで、

「このツボキの深さは三尺もあるから、川の人はこの中のどっかにおるはずじゃ。」

と、冗談《じょうだん》を言いました。

「お前、あとで大変なことになるから、そんなことを言うなよ。」

と、言ったけれども、おもしろそうにもう一ぺん竹をつっこんだのでした。

ところが、それから二、三日して直助さんは熱を出しました。家では、「川の人の祟《たた》りじゃ。」と言って騒動《そうどう》になり、直助さんの妻の父が御花米《おはなめい》（神様にあげる米）と

御神酒《おみき》を持って、近くの川にお詫《わ》びに行ったそうです。そうしたら、たちまちよくなったそうです。

それで、川の人はたたるのも早いが、おわびを言えば、よくなることも早いと言います。

「川の人を見たことがある。」

と、直助さんは常彦さんに言ったそうです。

あるとき、直助さんか白木の近くの迫の浜というところへ行ったとき、テーチギ（染料《せんりょう》にする木）の皮をはいでいたら、そばの川の中に、足のひざつぶしが長くて、座っている川の人の姿が見えたという。そして、頭の上まで水面に出ていたというのです。

そこで、もう一ぺん見ようと思って見たら、もう消えてしまって見えなかったということです。

ある人が、シラキノ海にヨイザイ（夜漁《よいざり》）に行ったそうです。ヨイザイとは、夜、サンゴ礁《しょう》の瀬の潮《しお》が引いたときに、魚をとることです。

そのとき、大きな山猫がやってきたので、長い竿《さお》のオヅキ（魚《うお》づき）でついたら、ヂキー（すぐ）、山へ逃げたそうです。

もう、その晩は、ヨイザイはできませんでした。夜が明けてみると、オヅキはツンナメの木に変わっていたそうですよ。

山猫が白木にいるということですが、その人は、初めてそんな目に遭《あ》いました。シラキノ神主の太夫《たゆう》は、月に一ぺんは阿弥陀《あみだ》さまにお参りして、人々が山猫などの害に会わないようにお願いするそうです。ところが、あるとき、山猫が村の猫を食って、大きなビンタ（頭）が転がっていたそうです。

また、ある人は、白木に行く途中で、「猫の千つなぎ」といって、猫が千匹つながっている光景を見たそうですよ。

［一九六四年　中之島　永田常彦さん（明治二五年生まれ）より］

5　石グスク、鬼の手形《てがた》

中之島の東南にあるタカモトという字《あざ》の平地の野に、人が四方から築いたような高い岩があります。

周りが百mくらいの大きな岩です。その岩を石グスクと言います。

グスクとは、沖縄でいう城《しろ》のことです。ちょっと見た目には、本当に城みたいに見えます。

グスクの上には、松の木が何本も生えています。そこには神さまが住んでいると言い、その松も近くの木も切ってはならないと言われています。

ところが、昔、ある人がその木を切ったところが、病気になって亡くなったそうです。その人は亡くなる前、石グスクの木を切る真似《まね》をして、神木を切ったことを白状したと言います。

その家では、あとで石グスクにおわびに行って、「今後、絶対に切りません。」と、お願《がん》をあげたということです。

昭和の初めのころ、中之島では、十島村《としまむら》の役場から石グスク付近と、隣の山を払い下げてもらい、薪《たきぎ》などをとることにしました。そのとき、場所をくじ引きで決めたのですが、西区の里村は隣の山、東区は石グスク付近となったのでした。

東区では、もちろん、石グスクの上の松は切らなかったのですが、脇の雑木《ぞうき》を切りました。そして、あとは植林しました。ところが、この事業を進めた東区出身の議員さんが間もなく病《やまい》になって寝込んだということです。

議員さんの病は、はたして石グスク付近の木を切ったせいかどうかは分かりませんが、人々は、きっとそのせいだとうわさしたそうです。

ところで、中之島の西区は、里と楠木《くすき》からなっています。楠木は、切り立った海岸の上にある村で、まるで城のようです。この楠木という地名も、沖縄のグスク（城）にちなむのではないかといわれています。

さて、中之島の駐在所があるところには、昭和五年に学校ができたのでした。字名は、ゲーロー（伽藍《がらん》）になっています。ゲーローは、土地を守る仏神のことですが、ムギの祭りをするときは、必ずゲーローをおがむということです。

ゲーローから小さい作道《さくみち》（畑への道）があって、その先に、一《ひと》かかえもある大きな石があります。その石には、人間の手の指の形が五本残っています。それを、人々は「鬼の手形」と言っているのです。

［一九六四年　中之島　永田常彦さん（明治二五年生まれ）より］

6　池の不思議

中之島の里村から、台地のようになっている上の平地に上《あ》がってしばらく行くと、高尾《たかお》という終戦後の開拓《かいたく》集落があります。

高尾の先のトクノウ字《あざ》の地に沼《ぬま》があり、その先には、底なし池があります。底なし池は、大池《おおいけ》ともいい、三〇ヘクタールぐらいの大きな池で、青々としています。池の東側には、かなたに御岳《おたけ》がそびえ立ち、南側には、低いけれども形のよい根《ね》神岳《がみだけ》が見えています。

沼には、丸藺《い》（藺《い》は藺草《いぐさ》のこと）や三角藺《い》（七島藺《しちとうい》）が生《お》い茂《しげ》っています。その先の池のぐるり（周り）には道が通《かよ》っていて、池に近いところには、柴を折って上げる場所もあります。池の付近には、桑《くわ》の木も生えています。

大昔、ゲントキという雲をつくような大人《おおひと》がおったそうですが、ゲントキが海の深さを測ってみたら、臥蛇島の西の海が一番深くて、ゲントキの膝上《ひざうえ》まであったということです。

ゲントキは、中之島の御岳《おたけ》と諏訪之瀬島《すわのせじま》の御岳《おたけ》に両足をかけて、次に片足を動かして、大池につっこんだところが、腰まで水につかったといいます。大池は、一般には底なし池といわれ、ゲントキが測っても、海よりも深かったというわけです。

御岳と里村の間の、御岳の六合目ぐらいのところに大きなくぼ地があるのですが、それはゲントキの足跡だろうといわれ、また、海岸の温泉場の先にある大きな岩には、大きなくぼみがついていますが、そこをゲントキの玉石といわれます。ゲントキの金玉の跡形《あとがた》だというわけです。

大池に続く手前の沼には、丸藺《い》や三角藺《い》（七島藺《しちとうい》）がいっぱい生えていて、昔は、人々はそれをとって、畳表《たたみおもて》にしていたのです。

七島とは、口之島、臥蛇島《がじゃじま》、中之島、平島《たいらじま》、諏訪之瀬島《すわのせじま》、悪石島《あくせきじま》、宝島の七島です。小《こ》宝島は、宝島のうちに入っているのです。つまり、七島はトカラ列島のことです。そして、七島藺《い》は、トカラ特産の藺草《いぐさ》のことです。

　さて、丸藺《い》がいっぱい生えているその沼に、あるとき、一人の女が丸藺《い》とりに行ったら、ぶくぶく沈んで、死んでしまったそうです。それからは、女は十三歳から上になると、その沼には行ったらいけないといわれるようになりました。

　明治の終わりごろ、山師（木挽《こび》き）たちがやってきて、沼の付近の木を切ったそうです。その人たちが、沼から少し離れたところに小屋を作って泊まっていると、晩になれば、洗い髪を前に垂《た》らした女が現れて、シクシクと泣いたそうです。丸藺《い》とりで沈んでしまった女のモーレ（亡霊《ぼうれい》）でしょうか。

　村から高尾へやってくると、入口の土地は、いまは開墾《かいこん》されて畑ですが、以前は五ヘクタールほどの「水池《みずいけ》」でした。

　この水池は、「神さんの池」ともいい、旧暦一月十七日のコヒチゲーという日には、神様がその池で衣《ころも》の洗濯《せんたく》をするのだと

ビロー樹の下にあるエビス神社。鳥居には鋸歯文（きょしもん）の列（中之島、1966年）。

いいます。そして、ヤルセの浜近くにあるヤジガバナの石のツボキ（くぼみ）で、その衣をゆすぎ、その上の大きな松の木に干すのだそうです。

　この水池には、不浄な者は近寄ってはならないといわれています。昔、徳丸《とくまる》という人が、この池の水を全部出して、開墾して畑にしましたが、何も実らなかったそうです。あるときは、浅沼達一《あさぬまたついち》という人が鹿児島からやってきて、海辺で掴《つか》まえた、たくさんのウミガメを水池で飼って、ウミガメの缶詰《かんづめ》工場を造ろうとしましたが、失敗しました。そのむすこの和夫という人は、カライモ（サツマイモ）を作ればよいと言って、カライモをたくさん植えましたが、三㎝くらいの芋虫《いもむし》がたくさんついて、カライモは全滅《ぜんめつ》したのでした。いまでは、その虫を「浅沼虫」といっています。

　その後、水池跡《あと》を二ヘクタールばかり畑にし、サトウキビを植えましたが、それにも虫ができて失敗しました。そのとき、溝を掘って排水しようとしたら、ニワトリが鳴いたというのです。人々は、

「水池は神さまの池だ。」

と話しています。

　ところで、先ほど記した大池の南側に小高くそびえる根神岳《ねがみだけ》は、御岳よりずっと低い山ですが、何か神々《こうごう》しく、気品のある山です。根神岳は、島の女神役のネーシ

（内侍《ないし》＝女の神職）が、大祭りに唱《とな》える祝詞《のと》（のりと＝神に祈るときの言葉）の中にもあります。「根神八重盛底宰の神《ねがみやえもりそこつかさのかみ》」という部分です。この根神《ねがみ》とは、根神岳にまつってある大池の神さまを指しているといわれます。また、その神さまは、女神だということです。

この女神が、大池の底から、この島をしっかりと守ってくれているのです。この神様に対して、御岳《おたけ》は、高い天から島をしっかりと守ってくれているのです。

昔から、根神岳はネーシが、御岳は太夫《たゆう》とネーシがまつってきました。

［一九六四年　中之島　永田常彦さん（明治二五年生まれ）より］

7　ヤルセのお宮のコダイどん

昔、粟《あわ》山焼きをして、みんなで粟畑をつくっていたころ（明治～大正時代）は、ヤルセの地は広く、地味が肥えていた（作物を育てるのに適していた）ので、たくさん切りひらいたのでした。

みんな、泊まりがけで仕事をしたので、それぞれ小屋を作って泊まっていました。お宮も作って、「静御前《しずかごぜん》」という神さまをまつっていましたが、あんまりおとなしい神さまだといって、「朝日天道南の権現《あさひてんどうみなみのごんげん》」という神さまにかえたということです。

この神さまは、天道、すなわち太陽神《たいようしん》です。六月と十一月の大祭りには、島の神主である太夫《たゆう》さんも行って祭ります。

ところが、お宮の鳥居よりも外には、永田家の祖先の「コダイどん」という女の神さまをまつっていたのです。この神様は、大正二年に島中にネズミが出たおり、桜島のミコさんをたのんできたとき、

「コダイどんをここにまつりなさい。」

と言われてまつったのでした。

コダイどんには、次のような話があります。

昔、軍船《いくさぶね》が南から（琉球からか）攻《せ》めてきました。コダイどんは、女でありながらみんなを指揮して、浜の石にすべてコバ笠《がさ》（ビロウの葉でできた笠）をかぶせて、人間に見せたのです。

軍船は、これは大変というわけで、逃げようとしました。ところがそのとき、コダイどんの銀のかんざしがきらりと光ったのです。それを見つけた軍船は、

「あれは女の兵隊じゃ。」

と気づいて、また攻めてきたそうです。それで、中之島は、琉球軍に占領《せんりょう》されたこともあったといわれています。

ところで、ヤルセにある小高い山には、コダイどんの宝物が埋まっているといわ

れています。

また、ネーシ（内侍＝女の神職）の祝詞《のと》の中に、「コダイが大城山姫大明神《だいじょうやまひめだいみょうじん》」という言葉があるのです。コダイどんは、山姫、すなわち山の女神《めがみ》であったわけです。

［一九七一年　中之島　永田常彦さん（明治二五年生まれ）より］

8　東与助《ひがしよすけ》の亡霊《ぼうれい》

中之島の神之川は、水が澄《す》んだきれいな小川です。ところが、この川には、ブト（蚋《ぶゆ》）が発生し、人の肌を強くかむのです。

ブトは長さ〇・三㎝ぐらいの小さな虫ですが、腕などをかまれると、赤くはれて痛いです。もしかまれたら、すぐに血をつまみ出し、焼酎を付けるとよいといわれています。

ブトは、蚊《か》に似た形をしていますが、人の血を吸うと、尾が赤くなります。このブトは、海賊与助《かいぞくよすけ》の霊のたたりだといいます。

与助は、十六世紀の中ごろ、トカラ列島各地を略奪《りゃくだつ》して回った海賊の首領《しゅりょう》で、日向《ひゅうが》の油津《あぶらつ》出身だといわれています。彼のことは、『藩法集《はんぽうしゅう》』という、島津藩の史料にも記されています。

与助は、中之島で島民の計略《けいりゃく》に引っかかって、村の上の小屋に閉じ込められて火を放《はな》たれて焼死《しょうし》しました。

その霊《れい》がたたってブトになり、住民を悩《なや》ませているのだと伝えられています。そこで、人々は、盆になると与助踊《おど》りをして、里村から海岸まで与助の霊を送っていき、その霊をなぐさめて、ブトの出現や災難などがないように祈っているのです。それをもう少しくわしく話すと、次のようになります。

旧暦七月十五日の晩、人々は夕食を済ませてから、午後十時から十一時ごろ、トンチ（殿地＝日高家）の庭に集まって、与助踊りをします。そして、村の下の浜に出て、もう一回、与助踊りをするのです。そのときに、鉦《かね》や太鼓《たいこ》を鳴らしながら、こんな歌を歌います。

〽日向与助が寄《よ》せ来るならば　焔硝肴《えんしょうざかな》に団子《だんご》や汁（鉛の弾《たま》をご馳走しよう）
それを嫌《きら》わずにまた来るならば　首に刀は引きてもの（引き出物）よ

神之川の清流。ブト（ブヨ）が多い（中之島、1966）。

実盛《さねもり》どんは　後生《ごしょう》を役目せよ　皆　虫たちもお供召《ともめ》せ

与助踊りといっても、特別な踊りをするわけではなく、浜の波打ち際《ぎわ》の瀬の上に火をたき、浜でこの歌を歌って、与助の霊を海に流すのです。

寺から持ってきた供《そな》え物（イバシの葉。イバシとはクワズイモのこと）に入れた飯。それからカライモと瓜《うり》を小さくきざんだもの（これを「水の子」という）などを海に流します。歌の「実盛どん」とは、有名に斎藤実盛（平安時代の武将）のことで、全国的に稲の虫追いの歌として歌われています。

与助一味《いちみ》を滅《ほろ》ぼしたときの中之島の郡司《ぐんじ》（島主）は、トンチ（殿地）の先祖の日高太郎左衛門という人でした。

彼は、この手柄《てがら》によって、島津氏から鎧《よろい》、刀、槍《やり》をもらったということですが、その鎧の一部は、いまも保存されています。

与助が殺された場所は、ゲーロー（越郎《げーろう》）字《あざ》にあります。そこは、村から牧場へ上っていく途中で、右側に人の丈《たけ》より高い大岩があります。それが目印です。

［一九七一年　中之島　永田常彦さん（明治二五年生まれ）から聞き、一九七六年にはトンチの日高岩吉さん（明治三八年生まれ）からも聞きました。］

9　中之島の動物たち

中之島にいる動物や、いない動物を、永田常彦さん思い出すまま言ってもらいましょう。

①　中之島にいる動物

アカヒゲは、羽根が赤く美しい鳥です。メジロ（ハナスィー＝花吸い）は、一年中います。イモリはヤモイといいます。トカゲは多くいました。しかし、イタチを島に入れてからは、トカゲがいなくなりました。ヤマネコは、シコマタといって、ヤルセに多くいます。

フクロウは、オッポロといいます。これが家に飛び込むと、縁起が悪いといって嫌《きら》います。そのときは、神役の太夫《たゆう》を頼み、青芝《あおしば》でお祓《はら》いをしてもらいます。また、そのときは、家の内神様にイザケ（慰酒《いざけ》＝焼酎とオカズ）をあげて、悪魔を除《の》けてくださいと祈《いの》ります。飛び込んだオッポロは、家の戸を閉めて、必ず殺します。生きたまま外へ逃がしてはいけないといわれます。外へ出すと、人の魂《たましい》が外へ抜《ぬ》けるというのです。そして、殺したオッポロは、叺《かます》に入れて、川に流します。すると、川から海へ流れていきます。

さて、カラスより小さい鳥でコルカというのがいますが、中之島では、これをキョーキューといっています。

キョーキューは、虫けらを食べます。この鳥は、ヘーベットー（カタツムリ）をくちばしではさみ、くちばしごと横木に当てて、からを割り、中の身を食べるのです。ケムシは、殺してから食べます。

キョーキューは、夏にいますが（アカヒゲも夏ですが）、「ヒョーヒョロー、ヒョーヒョロー」と鳴きます。ひどく鳴くときは、雨になるといわれています。カラスは、「ガース、ガース」と鳴きます。

カワガメは、瓜《うり》ほどの小さいカメで、川にいます。ウミガメは、大きなアカガメ、クロガメ、ベッコウなどがいます。

小さなカエルとミミズを捕《と》って、それをえさにして川でウナギを捕ります。モグラもいます。カモは渡り鳥ですから、やってきます。シロサギもいます。

②

中之島にいない動物

イノシシ、イヌ、ヘビ、サル、ヤギ（ヤギは、昔はいなかったのですが、明治時代に大島から入りました）、ウサギ、ドンコ（ヒキガエル）。タヌキ、キツネなどです。

［一九六六年　中之島　永田常彦さん（明治二五年生まれ）より］

10 ジンニョム岳

ヤルセのカタツネ岳をジンニョム岳ともいいます。

そのいわれは、ずっと昔、流人《るにん》の甚右衛門《じんうえもん》という人が口之島へ来たそうです。ところが、彼は、ある晩に丸木舟に乗って、逃げ出しました。潮《しお》の流れのせいで、中之島の港の先の荒尾の浜に着いたそうです。舟は海に流し、こっそりと瀬《せ》に上がり、晩になってからヤルセに行ったそうです。

ある日、里村の人がヤルセに行って、彼を見つけ、見慣れない人だなあと、不思議に思いました。見ていると、彼は海辺で魚とりをしていましたが、里村の人に気づくと、すぐ、タカツネ岳の岩穴に逃げ込んだのです。しばらくしたら、また、浜に出てきて魚をとったそうです。

何日かして、また、彼を見たので、里村の人が近づいて声をかけたら、とうとう、「自分は流人で、甚右衛門《じんうえもん》といい、流人先の口之島から逃げてきた。見逃してくれ。」と言ったそうです。

里村の人は、黙《だま》って帰ったそうです。それから、ヤルセのカタツネ岳を、甚右衛門《じんうえもん》にちなんで、ジンニョム岳というようになったそうです。

［一九六六年　中之島　永田常彦さん（明治二五年生まれ）より］

11　中之島の昔話から（クジラ、ほか）

①　クジラ

　クジラはいつも陸《おか》を荒《あ》らし、山を荒らしてしょうがないので、山の神様が、

「海においてくれんか。」

と、海の竜宮様《りゅうぐう》に頼《たの》んだそうです。そうしたら、竜宮様は、

「こんな大きなものを海に入れたら、これより小さい魚は一匹もおらんようになる。」

と言ったそうです。すると、山の神様は、

「そいじゃ、五寸《ごっすん》（十五㎝）より大きな魚は、絶対に食わんようにしてやる。五寸より大きな魚を食うたら、シャチホコの魚の鉾《ほこ》で、クジラの体を突き通して、死なせてやる。」

と言ったそうです。それで、クジラは五寸より大きな魚は食わんといいます。

②　タコとイカ

　タコとイカが、竜宮の門番に命じられたそうです。ところが、竜宮の神様の言う通りには何もしなかったそうです。それで、タコとイカは、骨を抜かれて

しまって、身ばかりになったのだといいます。

③

カマブタ［エイのイュオ（魚《うお》）のことで、釜蓋《かまぶた》のような形の魚］

昔、カマブタが海の上でゆっくり休んでいました。すると、そこへ、舟に乗った沖縄の糸満《いとまん》の人がやってきて、「よか島があった。」と言うて、舟を引き上げたそうです。そして、「飯でも炊《た》こう。」と言うて、火を起こしたら、島が沈んでしもうたそうです。島と思ったのは、じつは、カマブタの背中の上だったのです。それで、世の中では、カマブタが一番大きいといわれました。

ところが、「世の中でおれが一番大きい。」と思っているものが他《ほか》にもいました。それは、鳥《とい》と磯《いそ》エビ（伊勢《いせ》エビ）でした。

三匹は、世界漫遊《まんゆう》に出かけたそうです。鳥は、一羽《ひとは》ばたきして大きく飛び、止まり木に止まって遊んだのでした。鳥は、

「おれが世の中で一番大きい。」

と言っていると、磯エビが笑って、

「それは、おれの角《つの》じゃ。」

と言ったそうです。

そこで、今度は磯エビが、ぴーんと一《ひと》はねして、大きなガマ（穴）に入った

のでした。そして、

「世界で一番大きいのはおれじゃ。」

と言ったそうです。

ところが、カマブタが笑って、

「磯エビよ。お前が入ったのは、おれの口の中じゃ。」

と言ったそうです。それで、世界で一番大きいのは、やはりカマブタだそうです。

※ 明治時代～大正時代のころは、夏になると、沖縄の糸満や九高島《くだかじま》から、小さな板付舟《いたつけぶね》に乗り、櫂《かい》をこいで中之島やほかのトカラの島々にやってきました。彼らは、エラブウナギを捕って乾かしたり、ヤコ貝を捕ったりしました。ヤコ貝はシャツのボタン用に高く売れたのです。

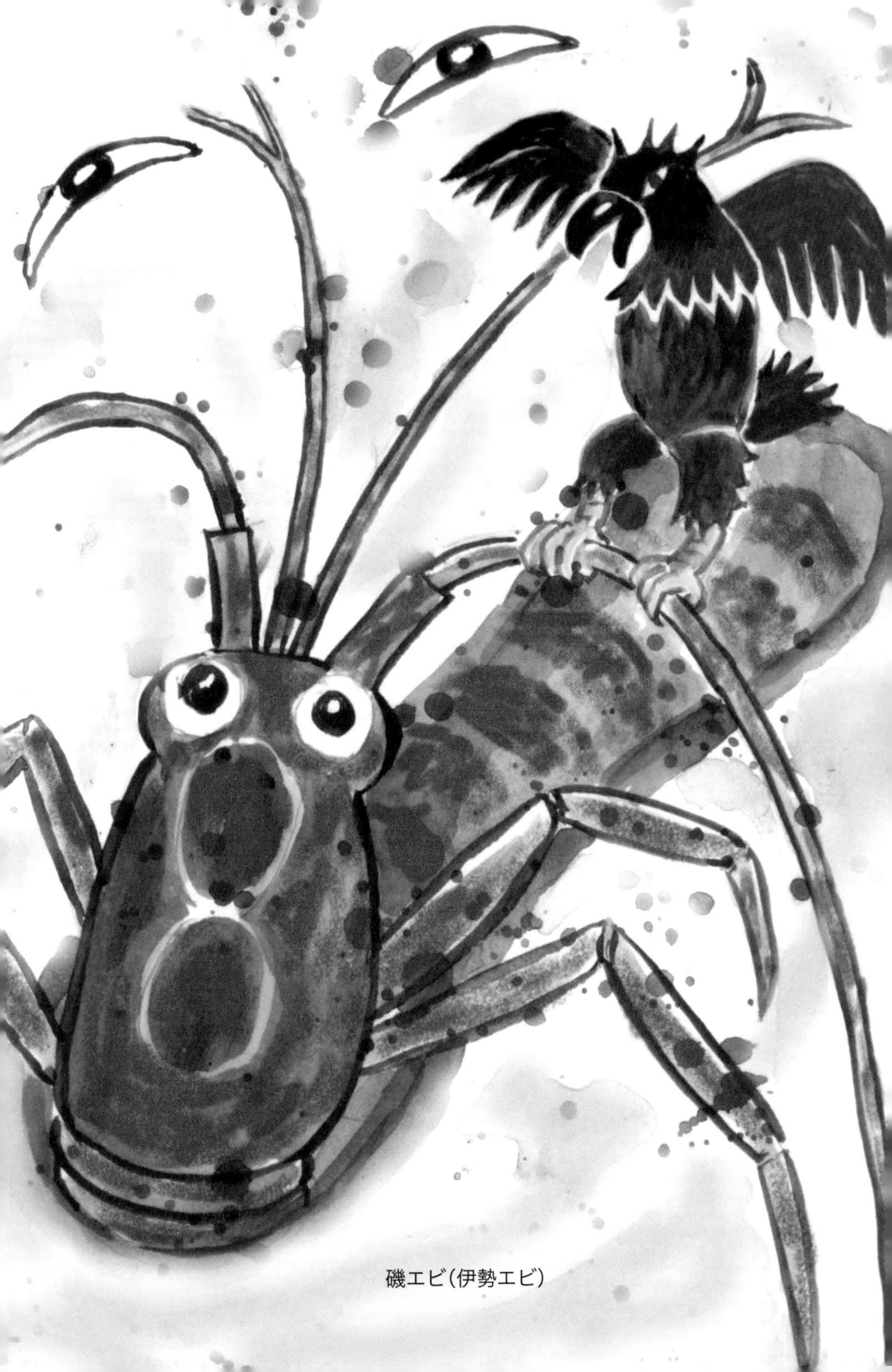

磯エビ（伊勢エビ）

④　天の人、地駄の下の人

人間は、天の上にも地駄《じだ》の下にも住んでいるそうです。天における人は、顔が長く、地駄の下における人は、「ビンタ（頭）が平《ひら》たい」と言います。

⑤　七夕竿《たなばたざお》

七夕竿の笹《ささ》に下げる紙には、「天《あま》の河原《かわら》を渡りきて　たなばたやまの陰《かげ》に寄《よ》るらん」と、芋の葉っぱの露《つゆ》ですった墨《すみ》で書きました。そして、「七夕よ。棚《たな》から落ちて、玉打って、アイタ、アイタと叫《おら》ぶ三助」ととなえるものだったそうです。

⑥　命の綱《つな》

平家《へいけ》の落人《おちうど》が中之島へやってきました。食《く》い物に困りましたが、海のコーメ、コーソク、キダカなどの魚やカメなどがたくさんいたので、そんなものをとって食い、命をつないだといわれます。

それで、神役をしている人は、これらのものは、「平家の命綱だ。」と言って、大事にし、今でも決して食べないのです。ただし、他の魚は食べてよいそうです。

［一九六六年　中之島　永田常彦さん（明治二五年生まれ）より］

12　魚《いお》の目ン玉、ほか

中之島の人は、沖で捕《と》れたエビ、カツオなどは、海岸に持ってきてから、人差し指を魚《いお》の目につっこんで、えぐり取ります。すると、目ン玉が飛び出します。ドロドロしたものは出して、それ以外の玉を食べるのです。また、魚《いお》の喉下《のどした》のノドマメ（心臓）も食べます。オサの下から指を入れて、赤黒いノドマメを取り出します。誰が目ン玉を抜くか、競争になります。

平島《たいらじま》の人は、魚《いお》を釣《つ》ったら、舟の上でもすぐ目ン玉を取って食べます。ドロドロしたものは、目のドーローといい、平島ではそれも食べます。何の魚《いお》でも、そうやって目ン玉を食べるのです。

なお、中之島でも平島でも、どの島でも、魚《いお》の目ン玉は、抜かずにかついだり持ったりして村へもどると、いつの間にか目ン玉が抜かれていることがあるそうです。これは、磯もん（ガワッパ）が取ったのだといいます。

また、海にもぐって魚《いお》を突《つ》いたときなど、目のない魚《いお》がおることがあります。その魚《いお》は、ガワッパの魚《いお》だといって、海へ放《はな》してやります。

ガワッパは、明かりをいっぱいつけて魚《いお》とりに行くといいます。ガワッパが夜漁《いさり》火《び》をつけて辺田《へた》の方へやってくるときは、魚《いお》がいっぱいいるといい、逆のときは魚《いお》はいないといいます。

ところで、中之島の日の出というところのそばの七つ山は、ガワッパがよく出るところだといい、楠木と里村の間の川のそばには、ボジェがいるといいます。ボジェは、ヒチゲーという節分《せつぶん》（音初めで立春の前日）の夜に出る妖怪《ようかい》です。それは、人が扮《ふん》する訪れ神《おとずがみ》であります。悪石島では、ボゼといい、盆に、村に現れます。意地の悪い人を、中之島では「あの人はボジェじゃ」といいます。

山には、山姫がいるといいます。山姫が人間を見て笑えば、その人はバカになるといいます。だから、山姫に出会っても、山姫を見てはならない。気の抜けたような人を、「あの人は山姫に行きおうたのではないか」といいます。

里村の寺の上の山を天狗山《てんぐやま》といいます。その近くを、山姫が通っていくのを見たという人もいます。

［一九七六年　中之島　日高岩吉さん（明治三八年生まれ）より］

13　島中《しまなか》どんのオヤビ、地主大明神《だいみょうじん》、など

中之島のトンチ（殿地《とのち》＝日高家）のそばに、島中どんという小さな社《やしろ》があります。トンチの庭とは小道をへだてて反対側の小高い地に、高さ一二七㎝ほどのトタン

ぶきの社を建ててあります。下のほうには鳥居があります。鳥居から小さな石段を伝《つた》って社《やしろ》に参《まい》ると、両脇にオオタニワタリを二株植え、社には、注連縄《しめなわ》を垂らしています。

社の中には、高さ八〇cmほどの細長い石が立っています。一説には、この石は、御岳《おたけ》が噴火《ふんか》したとき、飛び込んできた石だといいます。この石に島中どんをまつってあるのです。

島中どんは、中之島で一番古い神さまだそうです。そこから少し離れたところにある地主大名神社《じぬしだいみょうじんしゃ》は、粟畑《あわばた》などの地神《ちじん》をまつる中之島の第一の神社ですが、島中どんは、中之島をひらいた創成神《そうせいしん》、すなわち一番の先祖をまつってあるのだそうです。

それで、島中どんをオヤガミといい、まつる日をオヤビ（親日）といいます。オヤビは、二月の初申《はつさる》の日、四月は十六日、六月は四日ごろの申《さる》の日の粟の大祭りの翌日です。

五月五日は、浦祭りの日で、浜のエビスさんの祭りですが、まず、島中どんへまいり、そして、トンチの（日高家）内神をまつってからエビスさんへ行きます。そのときに行くのは、ホンボーイ（本祝《ほんはふり》＝男神主《かみぬし》）、ネーシ（内侍《ないし》＝女神役）、デークジ（大工司＝そなえ物などの世話役）の三人です。

オヤビの日は、島中どんの祭りが済むまでは、村中が漁船を漁《りょう》に出さないのです。

ついでに言いますと、トンチの家には池があります。池の中には、泉水山《せんすいやま》といって、ちょっとした庭があります。底《そこ》には、「中之島」という神をまつってあります。これは、島中どんとは関係ありません。そして、右上に若稚児《わかちご》さま、左奥にお手口太郎という神をまつってあります。

これらは、ネーシがお宮で唱《とな》える祝詞《のと》の中にも、

「大池女池《おおいけめいけ》（高尾の先の池のこと）、御岳権現《みたけごんげん》、下に降りて、泉水山の若稚児《わかちご》さまに中之島どん、お手口太郎、浜に降りてエベス大黒、浜戸の婆《ばば》が、…………。」

とあります。

お宮、すなわち地主大明神社は、中之島第一の神社です。立派な社殿《しゃでん》があって、四季の祭りが行われます。粟山の地神を集めてまつってあるといわれます。琉球竹林を切りひらいて、毎年焼き畑にし、粟をまいて暮らしたころの、各地の土地の神様を集めてまつってあるということです。

そして、地主大明神は、「オスビョウの神」ともいわれます。それは、御宗廟《おそうびょう》ということで、第一の先祖の神をいいます。先祖代々、まつってきたので、先祖の心がこもっているのです。

そして、ヤルセの「朝日天道南《てんどうみなみ》の権現《ごんげん》」をはじめ、もとは回り番でまつっていた「伊勢皇太神《いせのこうたいじん》」、「霧島大明神《だいみょうじん》」、「山姫大明神」、そのほかに、郡司《ぐんじ》（島主）様、「北

山権現《ごんげん》（山伏《やまぶし》の神）」、風本《かざもと》権現など、多くの神さまを合祀《ごうし》（合わせてまつること）してあるそうです。

地主大明神の宮には、御神体として、七つの小石と、その両脇にちょっと大きい石を一つずつ置いてまつってあります。これらの九つの石は、粟山の地主神《じぬしがみ》だとも、合祀した神々であるともいわれています。

六月の大祭りのときは、神役たちは、①地主大明神、②八幡様、③阿弥陀《あみだ》様、④島中どん、⑤殿地《とんち》を回って祭ります。

トンチは、トンジュウ（島司《とうじ》＝島主《とうしゅ》）がいた家です。トンジュウの役目は、いまは区長が引き継いで島を治めていますが、昔は、トンチ、すなわち日高家の先祖たちが代々、島司役を受け継いできたのです。

［一九七二年、中之島の永田常彦さん（明治二五年生まれ）から、一九七六年には、日高岩吉さん（明治三八年生まれ）から聞きました。］

14　七島正月《しちとうしょうがつ》（①七島正月、②オヤダマまつり、③ヒチゲー）

七島とは、十島村《としまむら》の島々、すなわち、口之島、臥蛇島《がじゃじま》（いまは無人島）、中之島、平島《たいらじま》、諏訪之瀬島《すわのせじま》、悪石島《あくせきじま》、小宝島、宝島の八つの島のことです。じつは、その昔、小宝島と宝島を合わせて「宝島」と呼んでいたので、「七島」なのです。

これらの島々では、一年中で、旧正月、新正月、七島正月の三回の正月をしていました。この中で、七島正月が最も大事で、今も行《おこな》っています。

いったい、七島正月とは、どんな正月なのでしょうか。なぜ、七島正月というのでしょうか。七島正月では、「オヤダマまつり」というのがあります。それは、どのような内容なのでしょうか。興味《きょうみ》と疑問は、次々にわいてきます。

① 七島正月

中之島では、七島正月を「平家の正月」といい、大昔から本当の正月だと考えられています。その期日は、旧暦十二月一日から六日までですが、旧暦十一月二九日の晩から始まっています。

その日をトシの晩といい、浜から潮井（海水）をとってきたり、浜砂を庭にまいたりして清めます。台所には、オーバン竿《ざお》といって、大根や魚などをいくつも棒《ぼう》にかけて飾《かざ》ります。

② オヤダマまつり

旧暦十二月一日には、三献《さんごん》の杯《さかずき》といって、オヤダマさま（先祖霊）に酒をあげ、お吸物《すいもの》をいただきます。親戚《しんせき》の人もやってきて祝います。

そのときは、中之島では、オヤダマは奥の間《ま》の納戸《なんど》（小部屋《こべや》）にまつります。きれいなゴザを敷《し》いて、仏壇《だん》も置いて、ご飯といっしょに、生魚《いきおわな》やイセエビなど海のものもそなえます。

オヤダマさまは、生魚などを嫌《きら》う仏様《ほとけさま》とは違《ちが》うのです。七島正月は、旧暦十二月七日まで続きますが、六日はオヤダマまつりなので、海のもの、山のものなど、いろいろとそなえ物をして盛大に祝います。夕方になると、昔は区長さんが鐘を鳴らして合図《あいず》しましたが、いまは、島内放送のお知らせで、いっせいに仕舞います（片付けます）。

そのとき、縁側《えんがわ》には、いくつかのシタミかご（背負《せお》いかご）に、サトイモやサトウキビなど、オヤダマさまがあの世へお発《た》ちのときのお土産《みやげ》を用意します。

オヤダマさまは、各島を六日の晩にいっせいに出発し、七日の晩には口之島に集合して、彼方《かなた》に行かれるといいます。それで、口之島では、「オヤダマさまは七日に発《た》たれる」といって、七日までオヤダマまつりをするのです。

さて、口之島に集まったオヤダマさまは、いったい、どこへ行かれるのでしょうか。ある人は、西の北の甑島《こしきしま》の方《ほう》だと言われました。

そこで、筆者は甑島に行って、いろいろとたずねてみました。すると、手打というところの人が、「手打湾の左の先に洞穴《ほらあな》があって、旧正月になると、不思議なことに、洞穴の入口の草が洞穴の中の方へなびいている。」と言いました。手がかりはそれだけでしたが、トカラのオヤダマさまがやってきた跡《あと》なのかもしれません。　この七島正月は、先祖霊《せんぞれい》をまつるオヤダマまつりが中心になっていて、本土の旧正月や新正月とは、少し違《ちが》うようです。

つまり、トカラ七島では、大昔から、仏教にちなむお盆行事とは別に、冬の正月に、先祖を手厚《あつ》くおがみまつるオヤダマまつりをやってきたのです。七島正月とは、オヤダマ＝先祖をおがむまつりなのです。おどろいたことに、鎌倉時代の日本の古典『徒然草《つれづれぐさ》』にも「東国では親霊まつりをしている。」とあるのです。このまつりは日本一古いまつりなのです。

では、七島正月は、どんなわけで始まったのでしょうか。これについては、次の三つの説があります。

㋑　昔、平家《へいけ》が源氏《げんじ》と戦《たたか》って、平家が負け、その残党《ざんとう》が七島にやってきました。それで、トカラの島々は、平家の落人《おちうど》の島だと、いまでも言われています。そして、中之島でも平島でも宝島でも、トンチ（殿地）の家は平家の末孫《ばっそん》だと言っています。

そこで、南海の小島にこうしてやってきたから、せめて正月だけでも早くやろうというわけで、本土よりも一ヶ月早めてやりました。それで、「平家正月」とも言うのです。中之島では、実際に「平家正月」と言っているのを聞きました。

㋺もう一つの説は、島津氏の琉球攻《ぜ》めが関係しているというものです。その折《おり》、トカラ勢《ぜい》がたくさん徴用《ちょうよう》されて、水先《みずさき》案内をしたのでした。そのとき、トカラ勢は正月を一ヶ月早めて十二月にすませて、琉球攻めに参加したので、以来、十二月初めの七島正月をやるようになったのだということです。

ところで、この話は、史実に基づいているのでしょうか。

島津氏が琉球を攻めたのは、慶長十四（一六〇九）年のことです。このとき、七島の島民は、二百数十名も徴用《ちょうよう》されて、島津軍の各軍船に乗り込み、鹿児島の山川港から沖縄まで水先案内をして、無事に沖縄へ着いたということです。これは史実です。

行きは、最後の季節風のニシカゼ（ミーニシという北風）で南下し、帰りは、最後の季節風のアラバエ（荒南風《あらばえ》）で、一気に沖縄から山川へ快走《かいそう》し、無事に帰りました。これも史実です。

これらは全《すべ》て、七島の島民の先導によるものでした。七島の人々はかねてから、各島で大船をもっていて、沖縄と鹿児島の間を航海《こうかい》し、商品を運んで利益を得ていました。その証拠《しょうこ》は、各島に記録として残っています。

琉球《りゅうきゅう》攻《ぜ》めの功績《こうせき》によって、各島の郡司《ぐんじ》は、島津氏から褒美《ほうび》をもらいました。そして、名字《みょうじ》（姓《せい》）も使えるようになり、侍《さむらい》身分《みぶん》となりました。

また、これを機会に、主な島々に在番《ざいばん》を置《お》き、島津氏の若侍《わかざむらい》たちが交代でやってきて、薩摩《さつま》文化が流入しました。

このように、トカラの島々は、はじめは琉球にも薩摩にも仕え、両方の中間交易によって利益を得ていました。文化も両方から入ってきました。今なお、琉球と同じ文化が見られるのは、こういうわけです。

㈧　三つ目の説は、七島正月は、そもそもトカラに大昔からあった本来の正月ではないかというものです。正月の内容は、本土と似ています。でも、なぜ一ヶ月早いのでしょうか。これについては、気候の関係があります。

トカラでは、麦の祭り（四月）、粟の祭り（六月）、米の祭り（七月）、タロイモ（サトイモ類）の祭り（十一月）という具合に、本土よりも一ヶ月ほど早く収穫の祭りをします。それで、正月も一ヶ月早めて、旧暦十二月一日～六日にしているのだということです。

こんなわけで、本土の旧正月とトカラの七島正月は、似たところもあります。

本土では、一月一日から正月が始まって、七日は鬼火焚《おにびた》きなどをして悪魔払《あくま》いをする日ですが、トカラでは、十二月六日に（口之島では十二月七日）、オヤダマまつりをして先祖霊を送ることにしています。

トカラのオヤダマは、本土では鬼などになっているわけです。トカラのほうが、正月の祭りの本当の意味を伝えているのではないでしょうか。

③　ヒチゲー

七島正月に関して、もう一つ、ヒチゲーという日がやってきます。これは、島によって日取りが違います。十二月にやる島があれば、一月にやる島もあります。理由は、七のつく日に節分の行事をするためです。本土では昔、節分を節替《せつが》わりともいいました。節分（節替わり）とは、冬から春に移《うつ》り替わる日のことです。それは、本当の新しい年がやってくることを意味しました。

こんなわけで、トカラでは、節分に当たる日をヒチゲー（日違《ひちが》い）ともシチゲー（節替わり）ともいうのです。

この日は、皆、仕事などしないで、家で軽い仕事などをして、慎《つつし》み深くします。この夜、ボゼ（ボジェ）という仮装の神が現れて、各戸を訪問します。ボゼは、いまは、悪石島だけに残って、七月の盆踊りのしめくくりとして出現します。

では、なぜヒチゲーをするのかといいますと、それは、先にも述べたように、島津氏の琉球攻めの後、島々に在番が置かれて、薩摩《さつま》の文化がより強く入ってきました。正月行事もそうです。

絶対的な力をもつ在番たちは、これまであった、気候のせいで一ヶ月早い七島正月の島々に、一ヶ月遅《おく》れの本土の旧正月を持ち込んだのです。

その内容は、先にも記したように、七島正月と旧正月は似ているのですが、七島正月に続く節替わり（節分）の設定が問題でした。薩摩でも、節替わりは大変重要視されていました。

ところが、七島正月（旧暦十二月一日）の大事な節替わり（トカラでは旧暦一月一日又は二日）と、本土伝来の旧正月（旧暦一月一日）が重なってきたのです。そうすると、在番の力の前には、島民側が折れて、七島正月の節替わりの日取りをかえざるを得ません。

こうして、十二月、あるいは一月の一日から一週間ずらして七のつく日に、島々でそれぞれ、節替わりの日を新たに決めたわけです。だから、このような日取りからいえば日違いであり、内容から見れば、節替わりであるということです。

このようなわけで、七島正月の始まりは、ハの説が正しいと思います。

［一九六六年　中之島　永田常彦さん（明治二五年生まれ）の話と、筆者の研究による。］

15　ネーシ（内侍）の見通し

昔のネーシは、神の前に立つと、シケ（ふるえ＝神がかり）がきて、神様の言葉をしゃべり、自然に舞《ま》いをしました。ネーシは、神役の一員であり、男のホーイ（祝《はふり》）とともに、神様の祭りを行う女性です。

ある年、飢饉《ききん》のために、中之島には食べ物がなくなってしまいました。しかし、ある家に焼酎《しょうちゅう》があったのです。

七島正月の六日の晩、この晩は、オヤダマをまつる（先祖をまつる）日で、オヤダマたちは夕方、トカラ各島を発《た》って、口之島に集まるといわれています。そして、七日に北西の彼方《かなた》の世界（先の世、別世界）へ行かれるそうです。

その前の六日の晩のこと、焼酎が一本ある家の主人が、中之島のネーシにそれを差し出して、

「これをオヤダマ船《ぶね》に積んでください。」

と言ったそうです。

ところが、その日の夕方のこと、口之島のネーシが言ったそうです。

「中之島では、飢饉でオヤダマ船に積むものがなか。しかし、木の枝の土産に混《ま》じって、焼酎が一本だけある。」と。

昔のネーシは、このように、何事も見通すことができたという話です。

次は、別の話です。

昔、イーザイ（夜漁《いざり》）に行く男が、仏様にぶつぶつ言いながら、そなえ物をしておがんでいったそうです。

イーザイに行くと、沖から線香のような灯《ひ》がずらーっと並んでやってきました。男は、磯《いそ》にある舟の陰《かげ》にかくれて見ていると、それは、ショーロン（精霊《しょうろう》）の灯《ひ》でした。そして、ショーロンが言いました。

「ある家に行ったら、男はぶつぶつ言うて仕事をしていた。それで、子供は火の中に投げ込んできた。」と。

男はこれを聞いて、「まさか自分の家のことじゃなかろう。」と思いながらも、急いで帰ってみると、子供はヤケドをしていました。

それで、仏様にそなえ物をするときは、「ぶつぶつ言うもんじゃなか。」といいます。

なお、お盆に精霊《しょうろう》をまつることをショーマツイといいますが、中之島のショーロンたちは、「温泉場《ば》の下の浜からあの世へうっ発《た》つ」といい、そこをショーミナトといっています。

［一九六四年　中之島　永田常彦さん（明治二五年生まれ）より］

16 ガワッパ・呪文《じゅもん》・祓《はら》い

川や泉などの神様をガワッパといいます。カワの人ともいいます。また、ガワッパは、頭に皿があるといいます。春の彼岸《ひがん》（三月二一日ごろ）から秋の彼岸（九月二三日ごろ）までは海におり、冬になると、つまり、秋の彼岸から春の彼岸までは山にのぼるといわれています。

川や泉のそばを通るときは、咳払《せきばら》いをして通るとよいといい、そうしないと、川の神がびっくりして、体に痛みがくるといいます。

もし、痛みがきたときは、ネーシ（内侍）に頼《たの》んで、ことわり（詫《わ》び）をいえばよいといいます。川の神への効《き》き目は早く、すぐ治《なお》るそうです。

次は、別の話です。

舟に乗っていて、頭の上でカミナリが強くなるときは、「桑《くわ》の滑車《せび》、桑の滑車」と唱《とな》えるとよいそうです。セビ（昔、舟の帆柱の上などについていた滑車《かっしゃ》）は、必ず桑の木で作ったそうです。桑の木は、カミナリが落ちてもよけるそうです。

海の上で竜巻にあったら、刃物を抜いて、竜巻を切るまねをすると消えるといいます。

次は、悪魔払《あくまばら》いの話です。

昔は、病気や伝染病がはやると、イバシ（クワズイモ）の葉っぱをとって、門口《かどぐち》に飾《かざ》っておいたといいます。あるいは、根っこごととってきて、門口に置いたそうです。

また、昔は、内地（本土）から荷《に》を積《つ》んだ帆船《はんせん》がやってきて、荷を降《お》ろすときは、女神役《めがみ》のネーシ（内侍）が来て、笹柴《ささしば》を折って、海岸の潮《しお》につっこんでから、それを持って、人が担《かつ》いでいる荷をパサパサと払《はら》ったといいます。それは、終戦当時ごろまでやっていたそうです。

病気の祓《はら》いは、ネーシはブクヨーの玉（ズズ玉＝数珠玉《じゅずだま》）をくさり連《つら》ねた数珠《じゅず》を持って、病人の体をなでながら、祝詞《のと》を唱えてあげたそうです。

ネーシは、村の大祭《おおまつ》りをするときは、村中の平安を願って、舞《ま》いをしました。

そのとき、シケ（神がかり）がきて、神言葉を述べながら舞いました。これを御《お》神楽《かぐら》といいます。そのときは、ネーシは数珠を持っておがみ、次に、右手に鈴《すず》を、左手に御幣《ごへい》（紙を木に付けた神祭り用具）を持って舞うのです。

こうして、村の平安や村人の健康を祈ったということです。

［一九七一年　中之島　永田常彦さん（明治二五年生まれ）より］

四．平島《たいらじま》

1　ホッタンカケタカ

四月八日になると、ホトトギスが鳴き出します。「ホッタンカケタカ、ホッタンカケタカ」と叫《おら》ぶのです。

ホトトギスは、「ホッタンカケタカ」と四《よ》万八《や》声《こえ》叫《おら》ばないと、一寸（三センチ）の長さの虫をとって食べられないといわれます。

さて、昔、女の親がいて、弟には山芋のうまくないところばかり食わせ、兄にはうまいところばかり食わせていました。

ところが兄は、「おれにこんなうまか山芋を食わせるからには、ワラベの弟にはもっとうまかところを食わせているにちがいない。」と思ったのでした。

そこで、兄は芋ほり具のヘラで、弟のノドを刺《さ》してみました。

ところが、ヌシ（弟）は、山芋のうまくないカスのところばかり食べていたのでした。兄は、「これはすまなかった。」といって、自分も死んでホトトギスの鳥になり、

山に逃げていったそうです。そして、
「ホッタンカケタカ、オトト恋《こい》シ。ホッタンカケタカ、オトト恋《こい》シ。」
と、鳴くようになったということです。ホトトギスは、四万八《や》声《こえ》もないて、ようやく一ぴきの虫にありつくということです。

［一九六四年　平島　日高栄熊さん（明治十三年生まれ）より］

2　コンコン鳥《どい》

三月になると、平島《たいらじま》には、「チヨチヨ、チヨチヨ」と鳴く赤ヒゲや「モーン、モーン」と牛のように鳴く牛鳩《うしばと》が姿を見せます。牛鳩の体は、鼠《ねずみ》色で、足は赤色です。

そのころ、南からやってくるという渡り鳥がいます。「山ニワドッコウ、山ニワドッコウ」と叫《おら》ぶ鳥です。赤い鶏《にわとり》みたいな形の鳥ですが、小柄《こがら》な鳥です。

さて、昔、じいさんとばあさんが山に行ったそうです。しばらく仕事してから、じいさんが、「ひもじくなったから、ご飯《はん》を持ってこい。」とばあさんを家にやったそうです。

しかし、待っても待ってもばあさんはもどってきません。ばあさんは、ご飯《はん》を炊《た》いて持ってきたので、遅くなったのでした。

ばあさんが、やっとご飯を持ってきたときには、じいさんは死んでいました。ばあさんは、悲しみのあまり、とうとう、コンコン鳥《どい》になって、

「山ニワドッコウ、山ニワドッコウ。」

と叫《おら》ぶようになったという話です。

［一九六四年　平島　日高栄熊さん（明治十三年生まれ）より］

3　風呂《ふろ》たきのコケロク

あるところの殿さまの何番目かのむすこが、女子《おなご》のほうばかり目をかけて、だらしがなかったそうです。そこで、殿さまが、

「お前は、この国のあとはつげない。お前は日本の諸国《しょこく》をまわってきなさい。そして、好きなところに身をおきなさい。」

と言われたそうです。そして、城を出るとき、殿さまはその何番目かのむすこに、七重《ななが》ねの着物と殿の御紋《ごもん》のついた羽織《はおり》、二本ざしの刀とお金をくれました。


そのむすこは、国境《くにざかい》の道で家来《けらい》たちに別れをつげて、一人、とぼとぼと歩いていきました。

しかし、歩いても歩いても家はありませんでした。それで、しかたなく歩いてい

くと、日がくれるころ、むこうの山の麓《ふもと》に灯《あかり》が見えました。むすこはへとへとになりながら、やっと灯《あかり》のともる家にたどりついたのでした。

「こんばんは。」と言って、中に入ると、ばばさんがいました。

「ばばさん、ばばさん、今夜《こんや》、こけぇ一晩泊《と》めてくださらんか。」

と言うと、ばばさんは、

「いや、お前のようなよか方をここに寝《ね》することはでけん。」

と言ったそうです。むすこは、

「いや、軒下《のきした》でもどこでもよかから、ぜひ泊めてください。」

と言うと、

「そいだけいうなら、内に入りなさい。」

と言って、その夜はそこに泊まったそうです。

そして、あくる朝、むすこがばばさんに言いました。

「ばばさん、ばばさん、このあたりで、わたしを使うてくれる家はなかろうか。」

すると、ばばさんは、「うーん」と考えこんでいましたが、

「それは、一軒あることはある。しかし、大きな屋敷で、もう、みんな足りているのじゃないかな。」

と言いました。するとむすこは、

「じゃあ、そこに行ってみよう。」

と言って、歩いて行ったそうです。そのとき、父の殿さまからもらった立派な着物や羽織《はおり》はぬいで、一枚の下着にどろをつけて汚《よご》し、大小の刀はくるくると、それに巻いて、カズラを巻きつけてしばり、担《かつ》いでいったそうです。

するとやがて大きな家が見えたそうです。そしてむすこが、

「ごめんください。わたしをなんでもよいからぜひ、使ってください。」

と言ったそうです。

すると、そこのばばさんが出てきて、

「もう人手《ひとで》は足りているが、お前はどろまみれでかわいそうだ。風呂たきなら使ってあげよう。」

と言ったそうです。

「風呂たきでん、なんでんよかから、ぜひ、お願いします。」

と言うことで、むすこは五〇人も使用人のいる大きな屋敷の風呂たきになったそうです。

むすこは、体にどろをぬり、灰《はい》をつけたりして、いつも汚《きたな》くしていました。そして、家のむすめたちが風呂に入るときは、背中をていねいに洗ってやったそうです。

それで、屋敷の人々は、むすこを「風呂たきのコケ（垢《あか》）ロク」と言っていたそ

うです。

ある日、その村のお宮の庭で芝居《しばい》があって、その屋敷の人は主人も五〇人の使用人もみんな、芝居見物《しばいけんぶつ》に行ったそうです。

みんなが行った後、コケロクは顔と体を洗い、カズラで巻いた着物と大小を取り出し、そして着物を着て、次に大小を差して出かけたそうです。

そして、人々のわきから芝居を見ていると、いつのまにか、人々は芝居よりも、コケロクを見ていたそうです。「きれいな若殿様《わかとのさま》がいる。」と言って。

しかし、コケロクは、芝居が終わらないうちに、急いで屋敷にもどり、元の汚《よご》れたコケロクになって、風呂たきをしていました。

それから何日か、過ぎていきました。コケロクは毎日、風呂をたいて、女たちの背中も流してやりました。

ある日、屋敷のむすめの姉の背を流すとき、コケロクがその手をつかまえたところが、姉が、

「雲にかけ足、霞《かすみ》に集《つど》い。」

と言ったそうです。その意味は、「つかまえられん、高嶺《たかね》の花だ。」というわけです。

次に二番むすめ（妹）の背を流すとき、コケロクがその手をつかむと、

「時よ、時節《じせつ》よ、待てよ、コケロク。」と言ったそうです。

風呂炊きのコケロク

それからしばらくしたら、その妹が病気になって寝こんだそうです。親はたいそう心配して、あちこちの医者を呼んでみましたが、いっこうによくなりません。半死半生《はんしはんしょう》のありさまで、食べ物を一週間も食べない日が続きました。

そこで、両親はモノシリ（占《うらな》いや祈祷《きとう》をする人）にたずねることにしました。すると、モノシリがやってきて、寝《ね》ている妹を見て、占《うらな》いをしたそうです。そして、

「この病気は、この屋敷にいる使用人の中から、一人の婿《むこ》さんを見つけてあげると治る。」

と言ったそうです。

使用人たちは、この話を聞いて、ざわめきました。まず、一《いち》の使用人が呼ばれて妹のところに行きましたが、妹は見もしません。

次に二の使用人、三の使用人、と次々に行きましたが、やはり妹はだれも見もしません。

「もう、これですんだ。使用人の中に、婿《むこ》になる人はいない。」

と言うと、ばばさんが、

「もう一人、風呂たきのコケロクが残っておる。あれも人間じゃ。」

と言うと、みんなが笑った。しかし、だんなが、

「いや、風呂たきのコケロクも人間じゃから、まあ、あれも合わせてみようじゃな

いか。」と言った。

そこで、風呂たきのコケロクが引き出されて、妹むすめに盃《さかずき》を差し出すと、なんと、妹むすめはそれを受け取ったのです。

みんなは、おどろきました。しかし、妹むすめが気にいったのだから仕方はない。

やがて、二人は婚礼《こんれい》（結婚式《けっこんしき》）をあげることになりました。

その日、表座敷《おもてざしき》の床《とこ》の前に座っている妹むすめの前に現れたのは、殿の御紋《ごもん》いりの羽織《はおり》と七枚重ねの着物、そして大小を持った立派な若者でありました。

これには、再びみんながびっくりしたのでした。しかも、その若者の姿は、お宮の芝居のときに見た若侍《わかざむらい》といっしょの姿であり、人々はまたおどろいたのです。

［この話は、一九六四年八月、平島の日高英熊さん（明治十三年生まれ）から聞いたのですが、英熊さんが二五、六歳のとき、ちょうど平島にきていた山口県生まれの松永八助という人から聞いたということです。松永さんは、親が反物商売《たんものしょうばい》をしていて、「お前は大島に反物を持っていきなさい。」と言われていきましたが、大島のあるむすめにほれこんで、反物も船も売って、山口には再び帰らなかった人だそうです。つまり、この話は、山口県経由の昔話です。なお、この話は、日本昔話の中では、「灰太郎」とか「灰坊」といって話され、全国的に語られています。英熊さんは、話の筋《すじ》をよく憶《おぼ》えておられ、またその雰囲気をよく伝えておられます。］

4　盆の水

昔、平島《たいらじま》の帆船《はんせん》が鹿児島から帰って来るとき、シケ（あらし）にあって、その船は何日も流されたそうです。カジも折れ、帆柱《ほばしら》も折れて、流されたのでした。

そして、はるか南の沖縄の宮古島に流れついたそうです。その辺に人影《ひとかげ》は見えず、ガケをはいのぼっていったところが、カライモ畑があって、女の人がいたそうです。

そこにやってきた人が、ヒゲぼうぼうで髪ものびた姿を見て、女の人はおどろいたそうです。

平島の人が、口に手をあてて、何か食べ物はないかとたずねると、宮古島の女の人が、

「どこからきたか。」

とたずねたそうです。

「あちらの浦に船があってそこから来た。」

というと、やがて、大勢《おおぜい》の島の人が集まってきて、ご飯をたくさんにぎって、船の人に食わせたそうです。

それから、しばらくして、船を修理《しゅうり》し、宮古島の船の案内で沖縄に行き、しばらく日和見《ひよりみ》してから、沖縄からは平島の船だけで帰ってきたそうです。

ところで、沖縄にいるときのある日、平島の人たちが白浜で昼寝をしていたそう

です。すると、雲一つないよい天気なのに、雨が降ってきたそうです。月日を数えてみたら、その日はちょうど七月のお盆の日だったそうです。平島にもどってみると、その船の人たちはみんな死んだと思い、葬式《そうしき》もすませ、初盆《はつぼん》をして、ショーハギの葉っぱを水につけて、仏様《ほとけさま》にそなえていたということです。

「ああ、沖縄の白浜のあの雨は、盆の水じゃったか。」

と、もどってきた人たちは思ったそうです。

この話は、日高源太郎という人から日高英熊さんが聞いた話です。源太郎さんは、大島の生まれで、十八歳のとき平島にやってきた人で、右の遭難船《そうなんせん》の乗組員《のりくみいん》の一人です。

源太郎さんは、平島の村から東の浜へいく途中の峠《とうげ》のところが通りにくかったのを、掘り下げて通りやすいようにしてくれた人です。そこをホリキリといいます。

そこのわきには、高さ六七㎝の記念碑《きねんひ》が建っています。

「明治十一年正月、平島字辻道、新道ヲ開削《かいさく》ス。本人大島郡萬屋《まんや》村生、平島六番戸転籍。明治三九年八月建設、日高源太郎」

と刻《きざ》んであります。

［一九六四年　平島　日高英熊さん（明治十三年生まれ）より。碑文調査は、一九八九年筆者］

5　平島の妖怪《ようかい》・憑《つ》きもの・忌《い》み言葉

これは、もう五〇年あまり前に聞いた話です。いまは、もういわないのですが、当時はいろいろな話が語られていたのです。

①　妖怪

ガッパがいて日高福一さんは東の浜で見たそうです。福一さんがフグみたいなイカフグという魚をわきにおいて、岩のうえで火をどんどん焚《た》いて横になっていたら、素《す》っ裸《はだか》のガワッパがきて、火をぬくんでいたそうです。

座れば、ツブシ（ひざ）と頭が一つ高さになって、口からヨダレをダラダラたらして、くさかったそうです。

福一さんはそれを見た日から、寝こんでしまったそうです。

ガジュマルの気根が垂れさがる。1975年(平島)。

② 憑《つ》きもの

海の人とも磯坊主《いそぼうず》ともいいますが、それが人につくことがあるそうです。そんなときは、ネーシ（内侍《ないし》）が竹柴をにぎって、はらいをし、ハナゴ（花ごか。米粒《こめつぶ》）を寺（無人寺）にもって行き、ふりまいて祈るとよいそうです。

山の人がついたときも、同じようにするのですが、山の人と海の人は似ているそうです。人といっても人間ではありません。ガワッパみたいなものだそうです。

シニダマシといって、死者の霊《れい》がつくこともあるそうで、そのときは、ネーシにシケ（神がかり）がきて、知らせるそうです。そこでシバとハナゴではらいをして、なおします。

戦争中には、兵隊や出郷者《しゅっきょうしゃ》のイキダマシも、ひっつくことがあったそうです。そんなときも、ネーシがはらいます。

何十年か前、天狗様《てんぐ》がついて、男の子が熱《ねつ》を出して寝こんだそうです。それは、男の子が南の浜《はえ》の牛の背のような山の下を通るとき、天狗さまをおどろかしたらしいのです。

このときも、ネーシが竹柴ではらいをしてなおしました。

③　忌《い》み言葉・他

沖に出て、クジラと言ってはならない。沖ではクジラはジョウロクといいます。波のことは、ミッチョベといいました。港の船着き場には、ミッチョベイシという波よけ石があります。

竜巻があるときは、船の中で硫黄《いおう》を燃やすと、竜巻は船の近くには来ないといいます。また、ヤマカラシ（山刀）を抜いて、振ると消えるといいます。

④　やぶれこぶれ

冬に寒さは寒し、そんな時、平島のナカゾンという鼻にイセヅルという女が出てみたところが、一艘《そう》の船が漂流《ひょうりゅう》していました。「船が流れてくっどう」と部落に知らせて、みんなそうどうしました。

人々が行ってみたところが、いそバンダという鼻のしたの瀬にカナグがかかって一般の船が留《と》まっていましたが、そのうち綱《つな》が切れて、船は瀬（百長瀬《ひゃくながせ》）という瀬）にうち当たってこわれてしまいました。カコたちは、木につかまって岸へ泳いだのですが、冬のニシ風（北風）のあれくるう海に飲まれてしまって、みんな、死体になってあがったそうです。その人たちは唐人《とうじん》（中国人）だったそうです。

平島の人々は、オバマというところに死体をひとまとめにしてうめてやり、葬式《そうしき》をしてあげました。

そのころは、平島にもボッサマ（僧《そう》）がいたそうで、毎日毎晩、お経をあげて、オバマの唐人小屋《とうじんごや》に通っていたそうです。ところが、わけのわからん歌を歌いながら、化《ば》け物《もん》が出てきたそうです。そのうち、シケがして、その骨はあらい流されそうになりました。そこで、部落民はもっと上のほうに骨をうめなおしたそうです。ところが、人がその辺を通ると、やはり化《ば》け物《もの》が現れて、わけのわからん文句をぐずぐず言ってきたそうです。

人の体は、死んでも息はあるわけでしょうな。こういうものを、「やぶれこぶれ」といいます。お盆には、やぶれこぶれが成仏《じょうぶつ》するように、水をあげるのだといいます。

栄熊氏は、この話も日高源太郎氏から聞いたそうです。源太郎氏は、その船を見たということです。やぶれこぶれは無縁仏《むえんぼとけ》のことです。

⑤ イソボーズ

平島の妖怪《ようかい》は、イソボーズ、ボジェ、幽霊《ゆうれい》の三種類です。

次は、イソボーズの話。

ある年の旧暦《きゅうれき》九月九日に、貞次郎《さだじろう》と父の善兵衛《ぜんびょうえ》と友人の長兵衛《ちょうべえ》の三人が平島の南側にあるオーラハマに夜釣《よづ》りに行ったそうです。このときは、たてあみ（建網《たてあみ》）も持っていきました。

たてあみは、イセエビや黒ヒツオ、トバサイなどを捕《と》るためです。三人は泳いでいって、十二尋《ひろ》長さのあみを岩と岩の間に張りました。ニシ（北）の風が少し吹く、凪《なぎ》の日のことでした。

夕暮になったところが、貞次郎の父が腹が痛いと言い出しました。そして、いっしょに帰ろうと言いました。そこで、貞次郎父子《ふし》は帰路《きろ》につきました。オーラハマからのぼってくると、やがて、ハエ（南）の浜へ折れる道と村へいく道の分かれるところがあります。ハエの浜の方にはカツオブシを製造《せいぞう》する小屋があります。

二人がそこにいくと、三次と清婆《きよしばあ》の夫婦がいて、カツオ製造をしていました。このころ、父の腹痛《ふくつう》は止《や》んだのでした。

空を見ると、月がパッと照っていました。小屋でしばらく遊んでから、近くの海で釣《つ》りましたが、一匹も食わん。さっきしかけた網《あみ》のところに行ってみると、二張りしかけたうちの一張りは、何者かが手《た》ぐりあげて岩の上にあげて、魚が入っていた様子はないでした。

そのうち、長兵衛も、ぬれあみをかついでもどってきました。一匹も捕《と》っていないでした。善兵衛はものごとにたまがらない（ものおじしない）人であったが、この晩《ばん》は別でした。何かに、たまがっていました。そして、

「これは、きっと、イソボーズの通り道に、網《あみ》をしかけたためだろう。」

と言いました。それからというもの、そこにはだれも網をはらないのです。

イソボーズとは、もちろん磯坊主《いそぼうず》のことです。頭の頂《いただき》に皿があって水が入っているといいます。諏訪之瀬島《すわのせじま》にはこれがよく出没《しゅつぼつ》して、見た人もかなりいるらしいです。

平島の清彦《せいひこ》氏の子どもの進と勇の二人が、高田という水源地《すいげんち》のところに竹切りに行ったとき、進が泣き出しました。帰ってからよく聞いたところ、あたりがくさくてならなかったらしい。また、シラガオンジョウ（白髪の老人）が前方《ぜんぽう》に立って進を見ていたが、まもなく山の中に消えたというのです。

進はその夜、発熱《はつねつ》し、トワンゴト（たわけ）を言ったので、ネーシババを頼んではらいをしてもらったら、治ったということです。

これらの話から、イソボーズは、海にも山にも住んでいて、本土のカッパに似ていることがわかります。しかし、たたり神の性格が強い点や出現《しゅつげん》のありさまが、奄美のケンムンに似ている点も指摘《してき》できます。したがって、このイソボー

ズは、ケンムンとカッパの中間の形であるといえます。

これは、前にもいくらか書いたのですが、平島では、釣った魚は、たちまち目がきれいになくなるといいます。船で釣った魚が磯にならべられたときには、目はもうありません。奄美のケンムンは魚の目を抜くといわれています。

ところが、平島の魚は、じつは人間が好んで食うのです。生き魚の目を指でえぐり取り、そのままましゃぶるのです。この上なくおいしいといい、子どもたちも好んで食べます。ケンムンが魚の目を抜くという話の裏付《うらづけ》をなしている話です。

また、これも前にいくらかのべましたが、もうひとつの妖怪《ようかい》、ボジェは、トカラ列島中、悪石島では、今も盆踊《ぼんおど》りのとき出現《しゅつげん》します。グロテスクな籠《かご》めんをかぶった仮面神《かめんしん》です。ところが、それが出現しない平島でもその話は残っていて、「泣くとボジェがくっど。」などといって、親が子供をおどしたりします。ボジェの話は、中之島や小宝島でも言うので、おそらく、もとはトカラ各島にボジェの仮面神《かめんしん》が出現《しゅつげん》したのでしょう。

イソボーズがたたり神であるのに対し、ボジェは権威《けんい》あるこわい神です。イソボーズよりも神格《しんかく》が高いといえましょう。

ゆうれいは内地型妖怪《ないちがたようかい》ですが、昔はときどき出現《しゅつげん》したらしい。薩南諸島各地では、これをモーエンとか、モーレンといいます。しかし、そういう場合は、いわゆるゆうれいとは少し違った点があるようで、広い意味の亡霊《ぼうれい》、亡魂《ぼうこん》のようです。

［拙著『海南民俗研究一号』　海南民俗研究所　一九七六年］

6　年貢船《ねんぐせん》・明治の帆船《はんせん》

ずっと昔（江戸時代）は、年貢船《ねんぐせん》といって、島津の殿さまに年貢《ねんぐ》を納《おさ》める船がいました。また、丸に十の字の旗をつけた九反帆の薩摩《さつま》の御用船《ごようせん》が七島に回ってきました。

平島では、一戸からカツオ節《ぶし》を四〇本出さねばなりませんでした。それは、太くても小さくてもだめで、八寸（約二四㎝）ぐらいの大きさでなければならないのでした。

大型の船は、年貢船《ねんぐせん》のほかに、イサバ（商《あき》い船）もありました。イサバは、商売船で大きな船であり、十八反帆ぐらいでした。イサバは鹿児島や沖縄にも行って、交易《こうえき》しました。

次は、平島の帆船《はんせん》で鹿児島などに行った話をします。明治の後期ごろのことで、日高英熊さんの体験談《たいけんだん》であります。

帆船で、平島から鹿児島へ行くのは、春ノボイと秋ノボイがあって、春ノボイは三月五日ごろ、辰巳《たつみ》の風（東南の風）が吹くときに行きました。この風が、鹿児島へは一番よい風です。帰りは、旧八月の寅卯《とらう》の風（東風）が吹くときがよいのでした。出港《しゅっこう》するときは、朝、準備《じゅんび》して、夕方ごろ、船を出します。すると、明日の夜明けには口之島の前に着き、鹿児島にはあさっての夕方に着いたのでした。平島から二昼夜かかったのです。

その途中は、平島から硫黄島《いおうじま》へは、小臥蛇《こがじゃ》の東を通って、子丑《ねうし》（北北東）の間を行きます。硫黄島《いおうじま》から、丑寅《うしとら》（北東）の間を行くと、途中、瀬《せ》がなくて、鹿児島湾に入りやすいのでした。

七島間の交通は、平島から悪石島《あくせきじま》へは西《にし》（北）の風で行き、悪石島から平島へは南《はえ》の風でもどります。悪石島には四時間ぐらいかかりました。

諏訪之瀬島《すわのせじま》には二時間半、中之島へは五時間ぐらいです。宝島は平島から二五里あって、六時間半ほどかかります。しかし、宝島へはあまり行かないでした。

汽船が来るようになって、便利になりましたが、明治三七、八年ごろは、十日や二〇日に一回ぐらいの割合でやってきました。

夜、航海するときは、星を見て船を走らせましたが、北極星を「子《ね》の方星《ほうぼし》」とか

「一つ星《ぼし》」といいました。また、「曽我星《そがぼし》」「クナタカ星」というのもあります。当時は、灯台は佐多の岬にしかなく、雨の降る晩は、たいへんでした。

［一九六四年　平島　日高英熊さん（明治十三年生まれ）より］

7　平島《たいらじま》の動物たち

平島にいる鳥やけものたちについて、長老の日高英熊さんに教えてもらいました。一九六四年のことです。

①　平島にいる鳥

まず、スズメ（十島村では、スズメは平島だけにいます。）。ハトは、青バト、ムギバト（黒い）、牛バト（モーン、モーンと牛のように鳴きます。）、それからコウモリ、山ニワドッコウ（コンコン

トカラコケシともいえる「ニンギョウ」。父親が娘につくってやる。子供はこれを抱いて遊ぶ。（平島、1976 年）

と鳴きます。)、ヒヨドイ、カラス、タカ、ハナシ(メジロ)、赤ヒゲ、ツバメ、シロサギ、アオサギ、カモ、イソベソ(ヒヨドリぐらいの大きさの鳥です。)、ハマチドリ、ツイジ(ヒヨドリぐらい)、ウグイス、シジュウガラ、モズ、ホッタンカケタカ(ホトトギス)、以上です。

② 平島にいるその他の動物

クマ(ヤモリのこと。ガジュマルの穴に入っています。)、ネズミ、トカゲ(尻の青いのと、そうでないガントカゲの二種類)、イタチ、カエル、ムカゼ(ムカデ)、ヒル(山ヒル)、ゴーゲ(赤白の三寸ぐらいの虫で、ヒゲがあってさします。新暦五月から九月にタブノキやヒトツバ、シバの木、ゴーゲギ(ゴーゲがよくとまる木)にいます。)などがいます。

このほかに、山イイヤ(ゴーゲみたいに笹にたくさんつきます。さわると、かゆい。

お歯黒。昔は、女の子が13歳になったとき歯黒をつけた。七島正月に行(おこな)い、鉄漿(かね)つけという。左は用沢幸代さん、右は日高米(よね)子さん。(平島、1976年)。

新暦六月、七月に多い）、ハチ（家の中に巣をかける小さいハチと、外に巣をかける大きいハチがいます。）、カワエビ、カワウナギ、ミミズ（桃色で、五〜六寸長さのものと、白マークのあるオトコミミズと、そうでないオナゴミミズの三種類がいます。）、ケラ、ヤマンバ（タイコドンともいい、田の中にいる一寸ぐらいの虫）、ハエ（「ハイ」ともいいます。ハエには、イエバイ、キンバイ、ウジバイなどがいます。）、ブブ（電灯めがけてくる青い小さな虫で、クマバチみたいな虫）、コブ（蜘蛛《くも》、家のなかには大きい奴《やつ》がいます。外には、足の長い奴、体が大きく、足も長い奴、ちいさい奴など）などがいます。

また、これらのほかに、タウヂ（田にいてかみつく）、チョウ（小さい奴《やつ》、黒くて大きい奴、黄色で大きい奴）、アブラムシ、アリ（アリ、シロアリ、大きいニガアリ、ちいさいアイノコなど）などがいます。

このほか、トイマケという病名がありますが、それは、田に入ったとき、足に小さいできものができて、とてもかゆい。それをかくと、真っ赤になってくされます。しかし、あまり痛みはしないで、ほっておくとやがて自然に治ります。

毒魚《どくうお》は、海ハブともいって、しりに黒い星が二つ三つある奴がいますが、あれは陸《おか》のハブよりこわいです。この辺の海にもいます。体は、田の土のような黒い色をしています。沖縄の人は、もぐるときにこれを見つけたら、首をつかんで舟の向うがわに投げて、すぐ舟に上がるといいます。

アンゴウという魚は、潮の満ちるとき、瀬にひっついていますが、沖に向かってそこにじっとしています。干潮《かんちょう》のときにはオカに向かっていますが、岩の穴かと思って、アンゴウの口の中に入ると、食べてしまうのです。小さい魚ンゴウはおいしい魚ですが、アンゴウをふんだらたいへんです。背中《せなか》に毒の剣《けん》があるのです。

フキゴもあぶない魚です。これも背中に剣があります。命までは関係ないけれども、さされたらたいへんです。フキゴは、岩の下など、どこでも出るので、注意しないといけない魚です。

ツメハチキは、エビのような形をしていますが、口の先に剣が生えています。つかまえると剣ではじくのです。これに当たると痛いです。

毒ガネ（毒ガニ）は、ジッツガネというのに似ていて、色が少しうすいです。しかし、毒を持っているので注意しないといけないです。

［一九六四年　平島　日高英熊さん（明治十三年生まれ）より］

8　八田平内《はっだへいない》・ほか

平島《たいらじま》に、八田平内という豪傑《ごうけつ》がいたそうです。

昔、あるとき、八田平内が三つ股《また》オヅキ（魚《うお》突き、漁具）をもっていきおったら、イギリス人がやってきて、「水をくれんか」と手まねでいって、桶《おけ》の中にお金を入れてやってきたそうです。

八田平内《はっだへいない》は、三つ股《また》オヅキは手ばなさないで、ゆうゆうと歩いていったそうです。ところが、そのとき、イギリスの船は、大砲《たいほう》をかまえて平島のまわりを回っていたそうです。

あとで、イギリス人は、島津の殿さまに、

「平島はわれわれの航海のじゃまをするから、あのコジマはわれわれにくれ。」

と言ったそうです。

ところが、島津の殿さまは、

「あの島は、七島《ひちとう》のオヤジマとして古い先に生まれた島だから、お前たちにやることはできない。」

と言われたそうです。

このあと、八田平内《はっだへいない》は薩摩に上《のぼ》りました。すると、役人たちが、

「島方《しまがた》にも、たいへんすぐれた人間がおるもんじゃ。」

と言って、八田平内をほめたということです。

ところで、山川港に平島《たいらじま》の船が入ったとき、八田平内は、船の屋根の上にいて、オモカジ、（船首を右に向けること）トイカジ（船首を左に向けること）の指揮《しき》をしていました。

すると、わきの大船《たいせん》の船頭《せんどう》が大声でさけんだそうです。

「みんな、見よ。八田平内、屋根の上ぇ、屋根の上ぇ。」と。

そこで、みんな見て、「島方《しまがた》にもえらい人間がおるもんじゃ」と、みな口々に言って、ほめたたえたそうです。

さて、ところで、平島には、カシラ墓というのがあります。これは女の墓です。昔、石でつくった手裏剣《しゅりけん》を投げるのがうまい女がいたそうです。

ある年、外国船がやってきて、上陸して村のほうへやってきました。村の人たちはみんな逃げましたが、その女は、村のために戦うのだと言って、白いタスキをかけ、外国人に手裏剣《しゅりけん》を投げて立ち向かったそうです。しかし、ピストルで撃《う》たれて死んでしまったそうです。

そこで、村の人たちは彼女の墓を建てて、おがんだそうです。それが共同墓地《きょうどうぼち》にあるカシラ墓の由来《ゆらい》です。

［一九六四年　平島　日高英熊さん（明治十三年生まれ）より］

9　火の神と火の神山・ほか

平島の家には、だいじな神さまをいろいろまつってあります。

第一は、ウチガミ（内神《うちがみ》）です。平島の家の間取《まど》りは、オモテ、ウチネ（奥《おく》の間《ま》）、ナカザイ、タナモト（台所）となっています。仏壇《ぶつだん》はオモテの間《ま》にありますが、家族を守ってくれる昔からの神であるウチガミは、いわば納戸《なんど》にあたるウチネにまつってあります。

それも、部屋の隅《すみ》の上に、籠型《かごがた》に竹であんだ神棚《かみだな》を置いて、シメ縄《なわ》を張ってまつっています。きっと、家族が寝る部屋で、しっかりと家族を守っているのでしょう。

この神様は、じつは、外の大きな社《やしろ》の神様を招いてまつってあるのです。つまり、家の外のえらい神様を家の内に招いてまつってあるので、内神《うちがみ》というのです。この神は、家ごとにあって、先祖代々《せんぞだいだい》、家ごとに違う神をまつっているのです。

第二は、クイヤどんです。厨《くりや》(台所)の神かと思われますが、じつは、台所ではなく、ウチネに、ウチガミとは別な隅にまつっています。

クイヤどんは年よりの人によると、もともと高倉《たかくら》の神だそうです。ネズミの害などがないように、祈《いの》っているのだそうです。高倉は、家の外にありますが、守り神だけは、家の中において、朝晩おがんでいるわけです。

第三は火の神です。タナモト（台所）の部屋の隅の上にまつってあります。そばには、「火の神の目」といって、半紙に三角文《もん》や菱型文《ひしがたもん》をいくつも刻《きざ》んだ旗《はた》をそなえてあります。三角文や菱型文は、悪霊《あくれい》ばらいの意味があるそうです。

以上は、平島のどこの家にもある家の中の神々ですが、じつはもう一つ、次のような大事な神が家の外にあります。

それを第四の神としますと、家のすぐそばの竹やぶなどにまつっている「火の神山」です。先にのべた火の神どんは、この火の神山とは別です。火の神どんは、家を守り、火の神山は屋敷全体を守る神であるようです。

平島では、どの家にも火の神どんも、火の神山もあります。この火の神山は、トカラの島々では、ほかの島にはありません。つまり、平島独特の屋敷神《やしきがみ》です。

［一九八九年　平島　日高貞次郎さん（明治四〇年生まれ）、ほか多数の方々から聞きました。また、各戸をまわって調べました。］

10　平島《たいらじま》の民謡《みんよう》から

平島には、昔は、お祝《いわ》いの歌や子守り歌、仕事歌など、たくさんの民謡がありました。これらの中から、四つほど紹介《しょうかい》しましょう。

① 子守り歌

〽ねよ、ねよ、三吉《さんきち》。泣くなよ、三吉。乳《ちち》飲《の》め三吉。
鳥《とい》がさえずる、目をさませ。

② 櫓《ろ》ばやし

（船の櫓をこぐときのハヤシ）
ア、ヒンヨイ　ア、ヒンヨイ。
ア、硫《ゆ》黄《おう》権《ごん》現《げん》さま、凪《な》ぎたじゃないか。わしもサマ女《じょ》になびきましょ。
ア、ヒンヨイ　ア、ヒンヨイ。
ア、カツオ釣《つ》れ釣れ、一万五千、釣らせたもれよ、エベスさま。
ア、ヒンヨイ　ア、ヒンヨイ。
ア、ノサイた（めぐまれた）金《かね》なら、ア、片ハレたもれ（船ばたにカツオをたもれの意味）
ア、ヒンヨイ、ヒンヨイ。
ア、気ばって押しちょれ、思《おも》たカツオを胸《むね》に抱《だ》くさ。

③

飯炊《めした》きの歌

大船《たいせん》（三十三反帆《たんほ》の歌）の飯炊《めした》き（少年）が作った歌）

〽船にゃ乗《の》いても、カシキ（飯炊き）にゃいやよ、
一《いち》じゃいわれて、二じゃにくまれて、
三じゃさぶられて（なめられて）、四じゃしかられて、
五では御器《ごき》（食器）皿《ざら》もこばめんば（整理《せいり》しないと）ニャ（寝《ね》は）ならん、
六じゃド（櫓《ろ》）もケ（櫂《かい》）も取らねばならん。
七《なな》じゃ（船）仲間のつき合いのこわさ、
八つヤグラもふかねば（そうじせねば）ならぬ、
九つこまごま、こばめんにゃ（整理しなくちゃ）いかん（ならぬ）、
十《とお》じゃ、トックリ（徳利《とっくり》も）かたげてのぼらにゃならぬ（ダイヤメ（慰労《いろう》の酒）の準備もせねばならない）、
十一、テンマ（天馬舟《てんまぶね》＝小舟）もつけねばならぬ。
ハラ、ヤンサノサー、ア、イヤーホーリョ、
ハラ、ヤンサノサー、ア、イヤーホーリョ。

※　サバつり船は、十八反帆《たんぼ》から二三反帆まであり、それはカツオ船造

りでもありました。魚を運ぶ半ガキ（垣）船《ぶね》というのは、十八反から二〇反帆でありました。いずれも二本の帆柱《ほばしら》が立っていた、といいます。

④ 大船《たいせん》の錨《いかり》のつなをあげるときのハヤシ
ホーランエー、ソラ、ホーランエー、
ホーランエー、ソラ、ホーランエー。

⑤ 伝馬舟《てんまぶね》で荷を大船《たいせん》につむときのハヤシ
ホラ、ヤンサージャ、ドッコイショ、
ホラ、ヤンサージャ、ドッコイショ。

⑥ 丸木舟をこぐときのハヤシ
シッチンヨ、シッチンヨ、
シッチンヨ、シッチンヨ。

※ ③の飯炊きの歌は、日高英熊さんが、二五歳のころ（明治三七年ごろ）、薩摩《さつま》の坊津の馬場《ばば》作次郎さんという人から習ったということです。

⑦　まつばんだ（座敷歌《ざしきうた》。お祝いのときなどに歌う）

〽うれしゅめでたの若松さまよ、枝もなァ、ヨイサヨ、ヨイサヨ。
じさん、ばあさん、長生きしやれなァ、米もなァ、ソコジャヨ、ソコジャヨ、
安《やす》なろ、世もよなろ
この平島《ひらしま》になん、名残《なご》りゃなん、あれどもなァなァ、名は立たぬなん、ヨイサヨー、ヨイヨイ。
鶴《つる》が千年、亀《かめ》は万年じゃなァ、人はなァ、命はよー、百までなァ、ヨイサヨー、ヨイサヨー。

［一九六四年　平島　日高英熊さん（明治十三年生まれ）より］

11　御岳《おたけ》まいり

トカラの島々では、どの島でも、自分の島の一番高い山を大事《だいじ》にしておがみます。平島では、十二月六日の晩、各家々で「七島正月《しちとうしょうがつ》」のオヤダマ祭り（先祖霊《せんぞれい》の祭り）をすませて、ジンバ（じいさんやばあさん、すなわち先祖）をあの世へ送り出します。その翌日、若い人たちを中心に元気な人はみんな、御岳《おたけ》に登ります。一九九〇年一月三日（旧暦十二月七日）、筆者もいっしょに御岳まいりしたので、

その状況をしるします。

昨日までのシトシト雨はすっかりあがって、今日は上天気。九時四〇分ごろ、学校上《うえ》の道に待ち合わせました。みんなで十数名。

御岳には、十四歳にならなければ登ってはなりません。それで、一人の子がはずされました。

九時四五分ごろ、登り始めました。男たちは、山刀《やまがたな》で竹やぶを切りひらいて、道をつけていきます。みんな、そのあとを行きました。少し、平坦地《へいたんち》になりました。すると、太夫《たゆう》（神主《かんぬし》）の義光《よしみつ》さんが三つ節《ふし》の竹を三本立てて、線香をたき、ビローの葉っぱを広げて、白いもちをそなえ、玄米《げんまい》をふって、酒をそそぎ、太夫（自分）が飲み、そしておがむと、太夫の後ろに座っていたみんなもおがみました。

太夫の話では、「これから御岳《おたけ》の山にはいりますから、みんながケガのないようにたのみます」という祈《いの》りだとのこと。

十数分後、出発。また、竹ヤブを切りひらいて登ること二〇分ぐらい。やがて、尾根道《おねみち》に出て、しばらく行くと、御岳の頂上に出ました。大きな丸い石が座っています。その大石は、横幅数m、高さ三mぐらいの三角錐《さんかくすい》（あるいは円錐《えんすい》に近い。）大石のまわりを切りひらいて、みんなが座るところをつくりました。

大石のそばに立つと、海がひろびろと見え、右手に諏訪之瀬島《すわのせじま》、左手には中之島、口之島が見えていました。美しい光景《こうけい》でした。

やがて、太夫が大石のそばに座り、そなえものをして、祈りが始まりました。

ネーシ（内侍《ないし》）も同じようにして、祈り始めました。

ところが、ネーシはノト（祝詞《のと》）をとなえて、祈っているうちにシケがきて（神がかりになり）、カミグチ（神言葉《かみことば》）が次々に出て、島に災難《さいなん》がないように、みんな元気であるようにという意味をとなえました。

ネーシは、東の海と空を向いて祈り、カミグチをとなえています。参加者のみんなも、ネーシのわきに座り、東天を向いて祈りました。

ネーシは、数珠《じゅず》を右手に丸めて持ち、左右の手を頭の上でふったりして、さかんに祈るのでした。

このとき、だれかが歌い出しました。それは、屋久島節《ぶし》です。

〽屋久の八重岳《やえだけ》、シャクダン花は、サマにますような花はない。
屋久の八重岳、約束したが、親がそわすか、そか知らん。
屋根をおっこわけ、カミホウ（内地）みれば、ムジョイ子もおる、孫もおる。
待つがよいかよ、別れがよいか。つらい別れより待つがよい。
雨がふっても、風音《かざおと》しても、御岳参詣《おたけさんけい》はせにゃならん。

と、みんなで合唱しました。

ここまでは御岳参りの儀式《ぎしき》に入っていますが、このあとは、何でもだれでも歌ってよいのです。六調《ろくちょう》が出たりして、みんなかわるがわる歌いおどります。新春の島の御岳の山上《さんじょう》は、すがすがしいまわりの霊気《れいき》につつまれ、明るい歌声がひびきわたります。そして、山頂の巨石《きょせき》の笹柴《ささしば》を敷《し》いた座では、青年も壮年《そうねん》も男女かわるがわるおどり、歌声と笑いが満ち、一年の健康無事《けんこうぶじ》や豊作《ほうさく》、豊漁《ほうりょう》を御岳の神に願うのです。

こうして、南の島の冬の御岳は、うすら寒いなかにも、みんなすがすがしい気持ちになって、身も心も清《きよ》められるのでした。

さて、帰りは、別の道を通って下山《げざん》し、村の入口のところに来ると、御岳に登らなかった人たちが集まって、焼酎《しょうちゅう》とオカズを持って迎《むか》えてくれました。これを「坂迎《さかむか》え」といいます。

お宮参《みやまい》りした人など出迎えてなぐさめることを本土でも坂迎えといいますが、平島のこれは、村里と山(岳)の境目の坂で出迎えてなぐさめる本当の坂迎えです。「坂迎え」の語源《ごげん》がわかる行事です。これで御岳まいりは終わりです。

［一九九〇年　平島　筆者も参加して記録しました。］

五．諏訪之瀬島《すわのせじま》

1　諏訪之瀬島《すわのせじま》のはじまり

この島に人が住んだのは、いつごろであるか、よくわからないですが、出土品《しゅつどひん》から推定《すいてい》しますと、切石遺跡《きりいしいせき》から出た焼き物のカムイヤキの壺《つぼ》は、十二、三世紀《せいき》ごろのものです。

それよりも前、『日本書紀《しょき》』には、六五四年に、吐《と》火羅国《からこく》の男二人、舎衛《しゃえ》の女一人があらしのために日向《ひゅうが》に漂着《ひょうちゃく》したとあります。この吐火羅国《とからこく》は宝島のことで、舎衛《しゃえ》は諏訪之瀬島《すわのせじま》のことではないかという説があります。

なお、五千年ぐらい前には、曽畑式土器《そばたしきどき》を持った人びとが、九州から種子島、屋久島もへて、奄美《あまみ》、沖縄《おきなわ》へも何度も渡《わた》りました。三五〇〇年ぐらい前には市来《いちき》式土器を持った人たちが九州と沖縄を往来《おうらい》し、続いて奄美《あまみ》の人たちも往来していますの

根上岳（ねがみだけ）（470m）山麓（さんろく）の村営牧場（諏訪之瀬島、1966 年）。

で、諏訪之瀬島《すわのせじま》にも寄ったことが考えられます。

それで、まだほかの島々には、出土《しゅつど》しなくても、そうした歴史がひめられているのではないかと思われます。

なお、諏訪之瀬島《すわのせじま》からは、中国の明《みん》時代の古鏡《こきょう》が見つかっています。それには、「宝鑑《ほうかん》、寿山福海《じゅざんふくかい》、玉帯金魚《ぎょくたいきんぎょ》」と銘《めい》が入っています。

また、巫女《みこ》が首飾りにつかったらしいガラス玉も出ているのです。

右の古鏡とまったく同じものが、種子島《たねがしま》の中種子町《なかたねちょう》の古房神社《ふるぼうじんじゃ》や硫黄島《ゆおうじま》の長浜家にもありました。これら三つの古鏡は、熊野権現《くまのごんげん》を信仰する熊野水軍《くまのすいぐん》（和歌山県の熊野神社を信仰する海の軍兵《ぐんぺい》たち）の系統《けいとう》をひく勢力《せいりょく》の南下《なんか》を示すのではないかと思われます。

それは、古代末から中世にかけてのころです。

［これらの史料は、『十島村誌《としまそんし》』と筆者の調査ノートによるものです。］

2　江戸時代の諏訪之瀬島《すわのせじま》

江戸時代には、この島には東村と西村の二つの集落があって、五〇戸あまりの人家がありました。

そして、口之島や臥蛇島《がじゃじま》のように、肥後姓《ひごせい》の人たち（中世に九州からやってきた人たち）がいて、島の中心勢力をなしていたようです。

島には、宝珠山龍福寺東村庵《ほうじゅざんりゅうふくじとうそんあん》という禅宗《ぜんしゅう》の寺《てら》と、龍寿山宝積寺円傘院《りゅうじゅざんほうせきじえんさんいん》という真言宗《しんごんしゅう》の寺がありました。どちらも仏教の寺です。

神社は、八幡《はちまん》神社です。この神社は今もあります。そして、男神役《かみやく》の太夫《たゆう》と女神役のネーシ（内侍《ないし》）がいて、季節《きせつ》ごとの祭りをし、御岳《おたけ》の神に村の安全と豊作《ほうさく》・豊漁《ほうりょう》を祈《いの》っているのです。

ところが、江戸時代後期の文化一〇（一八一三）年には、大噴火《だいふんか》がおきて、溶岩《ようがん》が流れだし、灰がふって、二つの村はやられてしまいました。

しかし、二百人あまりの人びとは、いち早く島の東南端《とうなんたん》の七つ穴という岩穴に逃げ込み、助かりました。そして、切石港《きりいしこう》から船出《ふなで》して悪石島《あくせきじま》と中之島へ移住したのでした。

そのころ、島には、在番《ざいばん》（島津藩《しまづはん》の侍《さむらい》）がいて、一部の人たちを平島《たいらじま》や臥蛇島《がじゃじま》、口之島へも配《くば》って、一人の死者も出さなかったということです。そしてとうとう、諏訪之瀬島《すわのせじま》は無人島になりました。しかし、今はまた人が住んでいます。

〔『十島村誌』と筆者の調査によるものです。）〕

3　藤井富伝《ふじいとみでん》の話

明治十六年になると、奄美《あまみ》大島の笠利《かさり》出身の藤井富伝《とみでん》という人が、諏訪之瀬島《すわのせじま》が無人島であることを知って、笠利《かさり》の人びとをさそって移住《いじゅう》することになりました。その年の三月十八日、希望者《きぼうしゃ》をつのり、笠利《かさり》の赤木名港《あかきなこう》から板付舟《いたつけぶね》何艘《なんそう》かに乗って、出港しました。

そして、悪石島《あくせきじま》に渡《わた》って、女たちをひとまずそこにおいて、男たちだけで諏訪之瀬島《すわのせじま》へ行ってみました。すると、みんな、そこが気に入って、女たちもみんなつれて渡島《ととう》し、開墾《かいこん》に励《はげ》んだのでした。

最初にやってきた人たちは二五名だったようです。その人たちの姓《せい》は、藤井のほかに池山、中政、仲吉、泉（園山氏の祖先）、本田、坂元でした。坂元姓の人は、悪石島《あくせきじま》から移住してきたらしいです。

諏訪之瀬島を開拓した藤井富伝（ふじいとみでん）の墓（諏訪之瀬島、1966年）。

そして、十八戸の人たちが、昔の上村《うえむら》、下村《したむら》に住んでくらしました。最初は、水不足《みずぶそく》で困ったそうです。でも、いろいろ工夫《くふう》してなんとか生活できるようになりました。そして、掘立式《ほったてしき》（土中に柱を立てる方法）の家に住んでいましたが、大正時代になってから、敷石《しきいし》のある（敷石の上に柱を立てる）よい家をつくりました。ところで、明治二八年には、耕地《こうち》も三四ヘクタールに増え、戸数も二五戸になったということです。

藤井富伝《とみでん》は、小柄《こがら》な人であったらしいのですが、明治二九年に県庁に招《まね》かれて、三つ重ねの盃《さかずき》をもらい、表彰《ひょうしょう》されました。その盃は、富伝《とみでん》のむすこの藤井清彦《きよひこ》さん（中之島に住んでいる）が持っておられて、筆者も一九六六年に見せてもらったことがあります。

入植《にゅうしょく》した初めは、嫁《よめ》さがしがたいへんでした。ヨソの島に出かけて、なんとかもらってきました。元十島村《としまむら》の村長の池山さんの父は、平島《たいらじま》から嫁さんをもらい、山本さんの父は、悪石島《あくせきじま》からもらったそうです。

その後、移住者《いじゅうしゃ》は増えたけれども、一部の人たちは、中之島へ再移住《さいいじゅう》して東集落をつくりました。

諏訪之瀬島《すわのせじま》の開拓《かいたく》時代には、粟《あわ》山を伐《き》って焼畑《やきはた》の粟作りをしたり、サトウキビやトン（サツマイモ）、麦《むぎ》など作りました。水田《すいでん》はありませんでした。

年中行事《ねんちゅうぎょうじ》は、トカラのほかの島と同じように、四月の麦《むぎ》の祭り、六月の粟《あわ》の祭り、十一月の里芋《さといも》の祭りをしていますが、水田がないので七月の米の祭りはありません。奄美と同じように、新節《あらせつ》（旧暦八月の初丙《はつひのえ》の日）、柴差《しばさ》し（新節《あらせつ》から一週間後《あと》の日）の行事もしていて、トカラ・奄美混合《こんごう》の年中行事になっており、注目《ちゅうもく》されます。

なお、新節《あらせつ》は奄美では最《もっと》も大事《だいじ》な日で、本土の正月元旦にあたる日です。柴差《しばさ》しは、その一週間後、すなわち本土の正月七日にあたる日です。奄美では、季節のかわりが本土より早いので、このような暦《こよみ》になっているのです。

しかし、この島の信仰は、八幡《はちまん》さまを中心に、乙姫《おとひめ》さまや若宮さま、エビスさまなどまつり、トカラの伝統的《でんとうてき》な信仰《しんこう》になっていて、このことも注目《ちゅうもく》されます。

［『十島村誌』と筆者の調査によるものです。］

4　大噴火《だいふんか》とトンジュウ

昔、諏訪之瀬島《すわのせじま》が大噴火《だいふんか》したとき、島のトンジュウ（島司《とうじ》、島主《とうしゅ》）は、みんな逃げたあと、一人だけ、噴火が静まるのを祈《いの》りながら、燃《も》え山（御岳《おたけ》）に登っていき、それっきり帰ってこなかったということです。

それで、平島《たいらじま》をはじめ、島々では今も、神役の神女ネーシ（内侍《ないし》）のとなえる

大噴火とトンジュウ

祝詞《のりと》の中には、諏訪之瀬《すわのせ》の燃《も》え火（噴火《ふんか》）の神を祈る言葉があるといいます。

ところでこの噴火は、記録にある文化一〇（一八一三）年のことかと思われますが、そのときは、住民二百余人は悪石島《あくせきじま》や中之島へ無事移住《いじゅう》させ、一人の死者もなかったということです。

すると、島のトンジュウが一人、燃《も》え山に登っていったのは、まだその前のことではないでしょうか。それがいつであったかは記録《きろく》もなく、わかりません。

［この話は、平島の日高貞次郎さん（明治四〇年生まれ）の話と史料によるものです。］

六．悪石島《あくせきじま》

1　悪石島《あくせきじま》の神々《かみがみ》

トカラの島々はどの島でも、昔からつたわる神様を今もだいじにまつり、貴重《きちょう》な文化を伝えています。

悪石島には、特に神様が多く、しかもだいじな祭りが伝えられています。ではまず、島内の神社をたずねてみましょう。

(1)　神社

①　八幡さま

村の少し下のハヤシの中にあります。第一番の神さまとして、村からは立派《りっぱ》な参道《さんどう》がついています。

丸太をつかった素朴《そぼく》な木製の鳥居《とりい》は、見あげると、上の笠木《かさぎ》に三角文《さんかくもん》のきざみをずらっと入れてあります。

これは興味《きょうみ》深いことです。じつは、悪石島の神社は、ほかの神社でも、同じように鳥居の上の横木（笠木《かさぎ》）には、この三角文《さんかくもん》の列《れつ》があるのです。トカラのほかの島の鳥居にそれが見られるのは、中之島のエビス神ぐらいです。

三角文《さんかくもん》は、鋸《のこ》の歯《は》のようですから、鋸歯文《きょしもん》ともいいます。鋸歯文は、「悪いやつはかみ殺《ころ》すぞ。近寄《ちかよ》るな」という意味です。人や村に害《がい》をあたえる悪いものを防《ふせ》いでいるのです。

鋸歯文は、日本の古墳《こふん》の壁《かべ》や古い鏡《かがみ》などに見られ、古代から用いられた悪《あく》魔祓《まばら》いや悪魔《あくま》よけのしるしです。

悪石島《あくせきじま》では、それが今も鳥居《とりい》の紋様《もんよう》として残っているのです。

鋸歯文（きょしもん）のある鳥居（とりい）（悪石島、八幡様、1975 年）

鳥居をくぐってしばらく歩くと、右上に八幡さまの建物が見えます。ちょっと坂になった入口《いりぐち》の前には、酒やそなえものをおく竹の台をいくつもつくってあります。

悪石島《あくせきじま》のいろいろな祭りは、まずこの八幡さまで行われ、男神役の太夫《たゆう》や女神役のネーシ（内侍《ないし》）が中心になって祭りをします。

②　坂森神社（釈迦森《しゃかもり》神社、御寺《みてら》神社）

八幡神社の近くにあって、入口には鋸歯文《きょしもん》の鳥居があります。これが釈迦森《しゃかもり》神社であることを教えてくれたのは、民俗研究者《みんぞくけんきゅうしゃ》の渡山恵子さんでした。鳥居をくぐっていくと、一九六五年ごろは、笹《ささ》ぶき屋根の美しい社《やしろ》がありました。そして、庭には、琉球竹《りゅうきゅうちく》の割《わ》り竹を何本も折り曲げて、皿《さら》のようにして地面にさし、白い御幣《ごへい》も立ててありました。これを、ツツマツリ（土祭《つちまつ》り）といい、土地の神様をまつるのだといわれています。ツツマツリは、今もしておられるようです。

③　秋葉《あきば》神社

集落の上にある木造で茅《かや》ぶきの社《やしろ》です。この社には、金毘羅《こんぴら》、霧島の神さまもいっしょにまつってあります。

④　乙姫《おとひめ》神社

島の東側の、昔、東集落があった近くのビロー樹《じゅ》のしげる森の中に、まつってあります。東集落は琉球系の人たちが住んでいたところです。その人たちは、今の村に引《ひ》っ越《こ》していっしょになっていますが、その神様は海の神で、乙姫《おとひめ》神社といって、今も村でおがんでいるのです。

乙姫神社のお宮は、高さ二尺（六〇㎝ぐらい）、幅八〇㎝ぐらいで、コバ（ビロー）の葉っぱでふいた素朴《そぼく》な美しい社でした。それが近ごろ、セメント製《せい》の立派《りっぱ》な小宮になったようです。

⑤　根神《ねがみ》神社

東の海ぎわに小高《こだか》い森山が見えます。根神山《ねがみやま》といい、これは、どの島にもある大事な神様の山です。ネーシがまつります。

この社《やしろ》も、コバの葉でふいた魅力《みりょく》あふれる社《やしろ》ですが、今、どうなっているのでしょうか。

根神《ねがみ》は、その土地神のことであり、根神山は少し低い森林です。天にそびえる御岳《おたけ》とは対照的《たいしょうてき》な神さまです。

また、根神は沖縄のニーガン（根神《ねがみ》）につながります。ニーガンは集落の本家筋《すじ》の女性のことです。

そして、その土地神をまつり、村の平安を祈りますが、政治的に村をおさめるのは、ニーガンの兄のニッチュ（根人《にっちゅ》）です。

これは、沖縄の祭政一致《さいせいいっち》の古い祭りを示していますが、これと、トカラの根神山をおがむ女神役のネーシ（内侍《ないし》）と男神役の太夫《たゆう》の関係が似《に》ています。

東村は、昔、今の村に合併《がっぺい》したので、現在《げんざい》はありませんが、その村のお宮の乙姫《おとひめ》神社と根神《ねがみ》神社は今もあって、村で大事にまつっているのです。有川《ありかわ》姓の人びとは先祖が東村から移《うつ》り住んだ人たちだと伝えています。

⑥

寄《よ》り船大明神《だいみょうじん》

浜の神で、笹ぶきの小宮《こみや》であり、御戸寄八幡《みとよせはちまん》ともいいます。外から入ってきた人を見張《は》る神さまだといいます。

この社《やしろ》には、御戸寄八幡《みとよせはちまん》、漁寄《りょうよせ》の御前《ごぜ》、玉寄《たまよせ》の御前《ごぜ》、今吉《いまよし》の御前《ごぜ》、ギョーバラの御前《ごぜ》などを合祀《ごうし》してあるそうです。ギョーバラの御前《ごぜ》の意味は、漁原《りょうばら》、すなわち漁場《ぎょじょう》の女神のことでしょう。

⑦ 西之宮若エビス
社殿《しやでん》はなく、カツオなどの豊漁《ほうりよう》を祈《いの》る神です。

⑧ 西之宮助三郎
これも社殿はなく、御幣《ごへい》を立てるだけです。しかし、「西之宮ホイ」という太夫《たゆう》が一人でまつります。

⑨ 泊《とま》い河《ご》の大権現《だいごんげん》
泊り（港）のかしら（上《かみ》）にまつってあります。

⑩ コトシロヌシ神社（エベス様）
泊り（小さい港）にあります。

⑪ ニワツキ三郎
村のシタブラ（下村）のハシヨテの庭の前にまつってあります。コバの葉で屋根をふいた小宮です。八幡様のオヤジの神様だといい、神役のホンボーイ（太夫《たゆう》）がまつります。

⑫ 十四の御前《ごぜ》

八幡さまの母神だという。ネーシがお宮に行くときにまつります。

⑬ 乙姫様《おとひめさま》

④の神とはまったく別の神で、村の中村家の庭に、小社《しょうしゃ》をたて、鳥居もたててまつります。ミコさんのおつげによって地を掘ったところが、人骨《じんこつ》が出たので、まつったということです。

(2) 家の中の神

① 内神《うちがみ》

それぞれの家で一番大事にしてまつる神さまです。その神は、八幡《はちまん》、秋葉《あきば》、金毘羅《こんぴら》、霧島《きりしま》、その他、有名な神々のどれかを家に招《まね》いてまつっているのです。外の神を、家の内の神として招いておがんでいるのです。それで、内神《うちがみ》といいます。内神《うちがみ》は家の納戸《なんど》の隅にまつってあります。

②　火の神

十二月二八日には、「火の神の目」といって、半紙に三角の目をいくつもきざみます。それは、星条旗《せいじょうき》のように、たくさんの列をきざんだものを、ほそい竹の柄《え》につけてそなえます。じつは、これも鋸歯文《きょしもん》の列で、悪魔《あくま》はらいのまじないです。火の神は、ヨコ座（ユルイ（いろり）の間《ま》の主人が座る座）の隅《すみ》の壁《かべ》にまつります。

四月のお祭りのときは、火の神の餅《もち》といって、餅を火の神にあげます。しかし、この餅は食べません。八月のお祭りでは、シトギだんごをあげます。

③　クイヤサマ

この神は、ウチノマ（納戸《なんど》）の隅《すみ》にまつってあります。ただし、①の内神は、床の間に近い納戸の隅にまつってあるのに対し、クイヤサマは台所に近い納戸の隅にまつってあります。四月のお祭りには、クイヤの餅をあげます。このクイヤの餅は、あとで家族で食べます。クイヤ（厨《くりや》）とは、台所のことです。

④　仏壇《ぶつだん》

神さまではないが、先祖をまつる仏壇はどの家にも必ずあります。ウチノマにおいてある家が多いです。ただし、それは、ユルイ（いろり）の間《ま》に向けておいてあります。

(3) 神山《かみやま》

村の中の屋敷森《やしきもり》は、神山《かみやま》であることが多いです。神山は聖地《せいち》です。木を切ったり、よごしたりしてはいけません。次にあげる神山には、右の神社の①〜⑨をまつってある森も、そうでない森もあります。

① 十四の御前山《ごぜやま》
ウエブラ（上村）の勝彦さんの前の森をいいます。

② 北山権現《ごんげん》の山
ヒロシさんのそばの山で、小さいコバの宮があります。

③ サンノヤマの神山
ナカブラ（中村）の家の前の山です。

④ ニワツキ三郎の山
ハシヨテというところの前にあります。

⑤ 荒神山《こうじんやま》
勝彦さんと新熊さんの家の間《あいだ》の山で、タブの木の根元《ねもと》にまつる。

⑥ 出雲が社《やしろ》の正《しょう》八幡　シタブラにあって、新熊さんがまつります。「聞け、こーれ、出雲《いずも》が社《やしろ》の正《しょう》八幡」と言ってまつります。竹を折り曲げて皿型に地面にさし、それに御幣《ごへい》二本を立てます。「土《つつ》まつり」のまつり方です。

⑦ 中《なか》ブラの近く（南東側）
神役のセークジ（細工司《さいくじ》）がまつり、土《つつ》まつりをします。

⑧ ヨシカズさんと政善《まさよし》さんの間《あいだ》の山
御稚児様《おんちごさま》という神様をヨシカズさんがまつります。

⑨ シタブラ（下村）の有川ヤスミさんの家の東側

ヤスミさんが、大きな桑の木の根元《ねもと》にまつります。

［一九六五年　悪石島　坂元新熊さん（明治十八年生まれ）より聞き、案内してもらいました。］

2　吉田どんの片袖《かたそで》と斧《よき》の話

旧暦十月の神無月《かんなづき》には、全国の神々が出雲大社《いずもたいしゃ》に集まってくるといわれます。その前の九月二八日は、神さまのオノボイといって、神さまたちはこの日から出雲に向かわれるということです。

出雲大社の神役のタユ（太夫《たゆう》）さんに、吉田どんという人がいたそうです。どこかの地方のタユさんがやってきたとき、吉田どんが、

「あんたのドコテロ神社は、雨もりがしている。」

と言われたそうです。

「自分がこっちへくる前に、神社の御普進《ごふしん》をしてきたのに、雨もりがするとは不思議じゃなあ。」

と、ドコテロ神社のタユさんは言ったそうです。

お宮には、全国の神さまたちが集まっていました。吉田どんは言われました。

「ほら、ごらんなさい。あそこにおられるドコテロ神社の神さまの左の袖《そで》が切れて

いる。あれは、雨もりしている証拠《しょうこ》です。」と。

しかし、ドコテロ神社のタユさんにはそれが見えません。そのとき、吉田どんは言われました。

「ほんとでないと思われるなら、見せてあげよう。」と。

そして、吉田どんの左の袖《そで》の下から、見せてくれました。

「どうですか。見えますか。」

すると、片袖《かたそで》の切れた神さまが見えたのです。

「あの方が、あんたのドコテロ神社の神さまです。」

すると、ドコテロ神社のタユさんがいわれたそうです。

「わかりました。」と。

それから、そのタユさんはすぐもどって神社を見てみると、本当に、片方の屋根が雨もりしていました。

それで、吉田どんは生き神だといわれたそうです。

さて、木を切る斧《よき》には、刃の上に片方に三本のすじを、その裏側《うらがわ》に四本のすじを刻《きざ》みこんであります。これも吉田どんに関係があるそうです。

山で木を切るときは、「これは立派な木じゃな。」と思うほど、「この木には、木の主《ぬし》（木の精）がおりはせんかなあ。」と思うものらしいです。

そのとき、木こりの人は、「吉田どんのミヨキ（三斧《みよき》）」と唱《とな》えながら、三回、木に切り込むのだそうです。そうすると、木の主《ぬし》の許《ゆる》しを得《え》ることができると、吉田どんが教えたのだそうです。

そして、木こりは、

「主《ぬし》でもおれば、ほかの木に移《うつ》ってください。この木は、わたしにください。」

と言うのだそうです。

そして、斧《よき》の刃を下にして木に立てかけておくのです。木の主がいて、どうしても移られん木は、斧《よき》がぶるぶるふるえて倒《たお》れるそうです。

それで、斧の刃の上に三すじあるのは、切り込みのミヨキ（三斧）を表し、その裏の刃の上の四すじの刻《きざ》みは、吉田どんを表すそうです。つまり、四は、吉田のヨンですね。

主のいる木を切って家を建てると、その家にはよくないことが起こるといわれ、「吉田どんのミヨキ」の唱《とな》えと斧立《よきた》ては、今も守《まも》られているという話です。

［一九六五年　悪石島　坂元新熊さん（明治十八年生まれ）より］

3　餅九斗《もちくと》

昔、貧《まず》しいくらしの人が、近くに二人いたそうです。

あるとき、殿《との》さまが二人を呼んで、

「お前たちは、正月の餅《もち》をどしこ（どれくらい）ついたか。」

と、聞いたそうです。すると、一人の人は、

「家《うち》は貧しいわけじゃから、戸棚がゴトヅキ（五斗づき）ました。」

と、言うたそうです。（「ゴトヅキました」は、ガタガタ音をたてましたの意味もあります）。

すると、もう一人の人は、

「家《うち》は、タタミがシトヅキました（湿《しと》づき（しめっぽくなる）、つまり四斗づき）。」

と言うたそうです。合わせて、二人で九斗ついたわけじゃなあ（「シトヅキました」は、湿《しめ》り気《け》がきたという意味もあります）。

殿さまは、二人の知恵《ちえ》にとんと感心して、二人に合わせて九斗の餅をくださったそうです。

［一九六五年　悪石島　宮永勝彦さん（明治四一年生まれ）より］

4　ある男とスイギー退治《たいじ》

ある村に、知らん事《こと》でも知ったようにいう物知りのような人がおったそうです。ところが、となり村のえらい金持ちの家の婿《むこ》になってくれという申し出があったらしい。その男は、

「自分は腕《うで》も知恵《ちえ》もなんでもあるから、そらあ、養子《ようし》にといわれればなろうよ。」

と言い、立派なお姫さんのところの養子《ようし》になったそうです。

そして、夫婦はじめて床《とこ》をとって寝《ね》ようかと思って、あおむけになって天井板《てんじょういた》を見たところが、トンビだの、カラスだの、野山だのと、いろんな絵が描いてあったそうです。

そこで、男が起き上がって、その家の弓を持ってきて、寝ちょって、ポーンとやってみたところが、天井板を射《い》り割ってしもうて、ガタガタ、ガタガタッと、天井が全部落ちてしもうたそうです。

その家の人たちは、

「結婚式の晩にこれはどうしたことか。ケンカじゃなかろうか。」

と言って、若夫婦の部屋に飛び込んでみたそうです。

ところで、昔は、内地（本土）のあちこちに、スイギーというて、どろぼうがおっ

たもんです。おいはぎともいうようですね。そのスイギーが、結婚式の晩に天井から忍《しの》びこんで、この金持《かねも》ちの家の宝もんをとろうとしたらしい。まあ、座敷《ざしき》あらしですな。

そうしたところが、下の部屋から目を射抜《いぬ》かれてしもうて、下の座敷《ざしき》にどさーっと、スイギーが落ちたそうです。

そこで、先の男や家族がかかって、つかまえて、しばり上げてしもたて。そして、おやじどんがむこどんをたいへんほめたそうです。

そうしたら、村の人たちが言うには、

「むこさん、村はずれの牧場《まきば》に出る鬼《おに》を退治《たいじ》してくれないか。」と。

すると男は、

「行きましょう。」

こう約束《やくそく》したものの、どうしてよいかあんまり自信はありません。

まあ、歩いて行こうか、と思っていきおったところが、村の人たちが立派な馬をつれてきて、

「これに乗っていってくれ。ここに弓矢もあるから持っていってくれ。」

というのです。

ところが、その男は馬の乗り方を知らずに後ろ向きに乗ったそうです。

すると、馬がかけ出しました。男は、「うぉん、うぉん。」と泣き出したそうです。

それを見た村の人たちは、

「あの人は、やっぱり腕《うで》があるだけ、後ろ向きに乗って、歌を歌いながら行く。」

と感心したそうです。

そして、牧場の近くにくると、大きな木があって、枝が下《さ》がっていたそうです。

「ほほう、この枝に下がれということか。」

と、男はそう言って、枝をひっつかんでぶらりと下がり、そして、大木の股《また》によじ登ったそうです。

すると、主《ぬし》を失《うしな》った馬はおどろいて、しりを持ち上げ、はね上げて、跳《と》んだも跳んだ、びっくりするほど跳んで、鬼めがけて行き、とうとう鬼を蹴《け》り殺《ころ》してしもたそうです。

しばらくしたら、馬が下を通ったので、

「ほほう、乗れちゅうことか。」

と言って、また後ろ向きに跳んで乗ったそうです。

その馬は、どんどん跳んで帰ったので、男はまたこわくなって、馬の上で、わんわん泣いたそうです。

すると、村の人たちはそれを見て、

「はら、あの人は生きてもどってきた。きっと鬼をうちとったのじゃろう。歌を歌うてくるが。」

と言ったそうです。

村の人たちは、おそるおそる牧場のほうに行ってみると、なんと、鬼はひっくりかえって、死んでいたのです。

このうわさを聞いて、となり村からもやってきて、

「おれたちの村にスイギー（盗《ぬす》っ人《と》）の宿《やど》ができて、困っている。なんとか退治してくれんか。」

という相談があったそうです。

すると、男の嫁《よめ》さんは、

「もう、お前一人で、かなう相手じゃなか。やめたがよくはないか。」

と言ったそうです。しかし、男は、

「まあ、見てみようよ。」

と言って、出かけたそうです。そのとき、オニギリを作ってもらって、中に毒薬《どくやく》を入れておいたそうです。

やがて、そのとなり村に着き、夕方になってから、スイギー宿の天井《てんじょう》にしのびこんだそうです。男の結婚式《けっこんしき》の晩《ばん》にスイギーが天井裏《てんじょううら》にしのびこんだように。

そして、しばらく待《ま》っておったら、やがて、スイギーの親分《おやぶん》らしいのと子分《こぶん》らしい者たちがやってきて、お金をチングヮラ、チングヮラならべて、数えだしたそうです。

男は、ものめずらしさとおそろしさでいっぱいになりながら、天井《てんじょう》のふし穴《あな》からのぞいていたそうです。

ところが、天井板《てんじょういた》が少しずれて、男が持ってきた毒入《どくい》りのオニギリが下に落ちてしもうたそうです。男は、どうなることかと思い、ぶるぶるふるえていたそうです。

すると、目の前に落ちてきたオニギリを見たスイギーの親分は、

「ほう、これは神さまのご利益《りやく》。天からのいただきものじゃ。さあ、みなで分けて食《く》おう。」

と言って、オニギリを割《わ》って、みなで食うたそうです。

すると、毒《どく》が効《き》いて、みんなひっくり返《かえ》ってしもうたそうです。

そこで男は急いで天井からおりて、村の中心に行って、

「スイギーはみんな退治《たいじ》したどう。」

と叫《おろ》うだ（叫《さけ》んだ）そうです。集まってきた村びとたちはたいへん喜んで、今度は、

「おれたちの庄屋《しょうや》になってくれ。」

とたのんだそうです。

男は金持ちの嫁《よめ》の家と、そのとなり村の庄屋《しょうや》の両方に行ったり来たりして、一生、よか世《よ》をくらしたということです。も、こしこの昔。

［一九八七年　悪石島　宮永宗市《みやながそういち》さん（明治四三年生まれ）より］

5　奥山のおっかさん

昔、あるところに、じいさんとばあさんと一人のむすめの三人が、くらしておったそうです。

そのむすめは、朝と晩《ばん》に、必ず川に洗《せん》たくに行きようたらしい。この島（悪石島《あくせきじま》）では、朝と晩は、泉《かわ》などにいつまでもおらんもんじゃといいますがな。ところがそのむすめは、お日さまか空の星かわからんが、天の神の子を宿《やど》していたそうですよ。

空の星にも、宵《よい》の明星《みょうじょう》、夜中《よなか》の明星《みょうじょう》、夜明けの明星《みょうじょう》などある中で、どれかわからんけどなあ。

そして、むすめは、日にち毎日、はらが太うなってきたそうですよ。

そしたら、おばあさんが言うには、

「お前はなんではらが太うなってきたや。男ばしおるか。」と。

「男はおらん。」

と、むすめは言うたそうです。そして、

「朝と晩に川（泉）に行きようったら、はらが太うなってきた。」

と行ったそうです。

そして、十か月したところが、玉のようなきれいな男の子が生まれたそうです。

ところが、むすめは、玉のようなその子をじいさんとばあさんにあずけて、家出《いえで》してしもたそうです。

年月《ねんげつ》がたって、その子も成長し、学校に行くようになったそうです。

ところで、五月節句《せっく》がくると、男の子には父親が車舟《くるまぶね》をつくってくれると、川で舟浮《ふなう》かしをする習《なら》わしがあったそうです。

その子は、

「人はいいなあ。あんなきれいな舟をつくってもらって。」

と言って、一人さびしくしていたそうです。

すると、一人の見かけないじいさんがやってきて、きれいなサツマ型の小舟《こぶね》を持っていて、

「これをやるから、みんなといっしょに遊びなさい。」

と言ったそうです。そして、その人はどこかに行ってしもうたそうです。

「不思議な人じゃなあ。」と思ったけれども、そのサツマ型の小舟をもらって、男の子は喜んで、みんなといっしょに舟浮《ふなう》かしをして遊ぶことができたそうです。

その子が三年生ごろになったとき、じいさんとばあさんに、

「おいのおっかさんは、どこに行ったか知らんとや。」と言うたそうです。

そしたら、「うん、どこへ行ったともわからん。」と、答えたそうです。すると、

「ほんなら、自分でさがしに行ってみる。」

と言ったそうです。じいさん、ばあさんは止めるけれども、きかなかったそうです。じいさん、ばあさんも、とうとうおれて、その子はほんとに母親さがしに行くことになったそうです。

じいさん、ばあさんから、オニギリやオカズをいっぱいもらって、野を越《こ》え、山を越《こ》えして行ったそうです。そして、野宿《のじゅく》して、奥山《おくやま》へ入ったそうです。

何日かして、晩になっても歩いていると、むこうにチラッと灯《あか》りが見えたそうです。

子供の玩具(左は男子用の舟、右は女子用のニンギョウ)。

「あそこには、だれか人がおるにちがいない。」と思って、その灯りをたずねていったそうです。

そして、入口にきて、中をのぞいてみると、三〇歳《さい》ぐらいのおばさんが、髪《かみ》の毛は長く垂《た》らして、神様のような姿をしているのが見えたそうです。

「ごめんください。」

と、その子は言って、戸を開《あ》け、そして、

「自分は、こうこうして親をたずねてまわっている者ですが、道に迷うてここにきました。もう、今夜おそいから、ここに一晩とめてくれはならんどうか。」

と言うたそうです。

するとそのおばさんは、

「ここは、人は泊められん。」

と言うたそうです。

「床《ゆか》ん下でもよかから、どこにでも泊めてください。」

と男の子は言って、床下《ゆかした》に泊《とま》ったそうです。

ところが、おばさんの声がして、

「自分が生み落とした子も、あんくらいの年じゃがねえ。」

と言うて、泣いたそうです。

その声を聞いて、その子は座敷《ざしき》に上がっていって、

「こうこうして、わたしのおっかさんはわたしを産《う》んで、どこかへ行ってしまわれた。さっきのおばさんの話と似《に》ているが、おばさんは、わたしのおっかさんじゃないか。」

と言うたそうです。すると、

「んにゃ、んにゃ。そうじゃなか。」

と言うたけれども、血が同じで、自然に互《たが》いによぶのか、とうとう、

「おっかさん。」

「むすこよ。」

と言って、抱《だ》き合って、泣いたそうです。そして、その子が、

「おっかさん、わたしといっしょに村に帰ってくれ。」

と言うと、そのおばさんは、

「お前といっしょに帰りたいが、わたしは、今、帰られん。来年の七夕《たなばた》の日に発《た》って、盆の日に帰ってくるから。それまで待っていなさい。」

と言ったそうです。その子は、うなずいて、そのうちに安心して、おばさんであるおっかさんのひざ枕《まくら》をして、寝《ね》てしもうたそうです。

ところが、あくる朝、目がさめて起きてみると、そこは、大きな岩穴《いわあな》の下で、一つの骸骨《がいこつ》を枕にして寝ておったのだそうです。

その男の子は、「ああ、これがおっかさんじゃったのか。」と言い、泣きながら骸《がい》骨《こつ》をおがみ、そして、トボトボと山をおり、なんとかして、里の村へもどりついたそうです。

村に帰ると、じいさん、ばあさんもたいへんに喜んで迎《むか》えてくれたそうです。

そして、七月には、七夕竿《たなばたさお》を立てて、星を見て、

「おっかさんの魂《たましい》もあの岩穴《いわあな》を出発《しゅっぱつ》されたにちがいない。」

と言って、それから七日間、毎日、おっかさんの魂《たましい》が無事に家に来るようにと、おがんだそうです。

そして、七月十三日、十四日、十五日のお盆には、三日間、仏さまにいろいろそなえ物をして、おっかさんの霊《れい》をやさしく迎えてなぐさめたということです。これが七夕竿とお盆のいわれだそうです。

［一九七五年　悪石島　宮永宗市さん（明治四三年生まれ）より］

6　イサバの飯《めし》炊《た》き

昔、イサバといって、三〇人も乗る大きな帆船がいましたよ。明治のころまでですね。イサバは、沖縄や内地（本土）へ通《かよ》って、荷物運搬《にもつうんぱん》をする船です。

その船の飯炊《めした》きは、どの船も十四、五歳の少年でした。荷役《にやく》をする船乗《ふなの》りは力仕事ですから、二〇歳《はたち》ぐらいから上の青年です。

しかし、飯炊《めした》きは、飯をたいておかずの準備をするだけの軽い仕事であるけれども、大事な仕事なので、どの船でも、気のきいた賢《かしこ》い少年をあてておったものです。ところで、ある島の飯炊きもひじょうに利口者《りこうもの》で、大人に下知《げち》（さしず）するような少年だったそうです。

しかし、海の男たちは気が強いし、荒《あら》い。

あるとき、その飯炊きが、大人の船員たちに、いろいろと下知《げち》をしだしたそうです。カチンときた船乗りたちは本当におこって、四つ股《また》の金具《かなぐ》といって、これは錨《いかり》のことですが、それに少年をくくりつけて、海にほうり込んでしもたそうですよ。

ところで、飯炊き少年の両親は、とても神様信仰《しんこう》の強い人たちで、朝も晩も、金《こん》毘羅《ぴら》さまやエビスさまにおまいりし、少年の無事を祈《いの》っていたそうです。

そうしたところが、ある日、両親が金毘羅《こんぴら》さまにおまいりしたちょうどそのとき、浜に四つ股の金具にしばられた少年が打ち上げられたそうですよ。見るとそれは、我が子でした。

両親はおどろいて、すぐに少年を救《すく》いあげ、家につれて帰りました。そして、少年から、一部始終《いちぶしじゅう》を聞いておどろいたそうです。両親は少年を家にかくし、このことはだれにも言わないでおったそうです。

ところが、ある日、そのイサバが島にやってきて、船頭も船乗りの水夫《かこ》たちもあがってきて、少年の家にやってきたそうです。

そして、

「どうも残念なことだったが、お前のむすこは、大シケのために波から洗《あら》い落とされて行方不明《ゆくえふめい》になった。」

と言って、あいさつをしたそうです。

するど、両親は、

「そうですか。そらまあ、シケのことなら、しかたはなかなあ。残念なことだけれども、船頭さんや水夫《かこ》の方々が無事であったのは、けっこうなことです。」

と言い、また、

「一人のメシタキと何十人の水夫《かこ》の命を代えることはできないけれども、まあ、たくさんのみなさんがこんなに無事であったのは、何よりです。」

と言ったそうです。そして、船頭や水夫《かこ》たちに、ごちそうをしたそうです。

そうするところに、かくしていた飯炊《めした》き少年をよんで、座らせたそうです。

すると、みんなおどろき、座ってもおれん、立ちもならん状態《じょうたい》で、もうすっかりおどろいたそうです。そして、こそこそと逃げ出す者が多かったそうです。

そこで両親が、
「じつは、むすこは助かりました。これは、金毘羅《こんぴら》さまやエビスさまのお力のおかげです。」
と言ったそうです。もう、こしこの話。

［一九七五年八月　悪石島　坂元新熊さん（明治十八年生まれ）より］

7　シュッペイ小太郎の話

これは播磨《はりま》の国（兵庫県《ひょうごけん》）の話です。悪石島《あくせきじま》のばあさんたちから聞いた話です。

昔、ある村で、毎年のお祭りに、お宮にむすめを一人あげなければならないことになっていました。そのむすめは、お宮にあげると、帰らないのです。

祭りが近づくと、この人身御供《ひとみごくう》（生きたまま神さまにそなえること）の話で、村は悲しみにつつまれていました。

今年も、一人のむすめが人身御供《ひとみごくう》になるといって、その家族はもう、なげき悲しんでいました。

やがてむすめは、大きな樽《たる》に入れられて、お宮の庭にもっていかねばなりません。

日暮れになって、その時刻《じこく》が近づいてきました。

このとき、村を通りかかったのが、天下に聞こえた武芸者《ぶげいしゃ》のシュッペイ小太郎です。小太郎は村に入って、おかしな空気に気づき、そこでたずねてみると、

「まもなく、一人のむすめをお宮にさし出さねばならない。むすめは何者かに食われる。」

と言って、さわいでいるのです。

小太郎は、

「よし、わかった。」

といって、村の青年たちに、

「むすめを入れる桶《おけ》に、おれを入れよ。」

と言って、小太郎が入り込んだそうです。そして、

「しっかりふたをしてくれ。」

と言ったそうです。

やがて、日がくれたころ、小太郎を入れた桶《おけ》は、若者たちにかつがれて、「よいしょ、よいしょ。」とお宮に行き、庭の真ん中に置かれたそうです。

すると、丑三つ時《うしみつどき》の真夜中《まよなか》になったとき、大きなものが樽《たる》に近づいて、まわりを回り始めたのです。そして、

「播磨《はりま》の国のシュッペイ小太郎には知らせるな。播磨《はりま》の国のシュッペイ小太郎は現《あらわ》

れんように、はらいたまえ、清《きよ》めたまえ。」

と言うて、その桶《おけ》のまわりを回ったそうです。

そのとき、桶《おけ》のふたが開《あ》いて、播磨《はりま》の国のシュッペイ小太郎が、刀をふりかざして現れました。

「播磨《はりま》の国のシュッペイ小太郎は、このおれじゃが、お前は何者《なにもん》か。お前を退治《たいじ》してやる。」

とさけんで飛び出し、そこにいた怪物《かいぶつ》を退治《たいじ》したそうです。

夜が明《あ》けてみると、それは千年をへた大狸《おおだぬき》でした。しかし、その狸《たぬき》は、死にきれないで、血をたらしながら逃げていったそうです。

おっかけていくと、山の奥《おく》の岩穴《いわあな》に入っていきました。そこで、シュッペイ小太郎は、村の人たちに、

「トウガラシを一俵《いっぴょう》集めてくれ。」

と言ったそうです。

そして、そのトウガラシを岩穴《いわあな》の入口《いりぐち》で燃《も》やしてくすぶらせたそうです。すると、大狸《おおだぬき》が鼻《はな》をクンクン、クンクンいわせながら、穴の入口に出てきたそうです。

そこで、シュッペイ小太郎が、「えーい」とばかりに、退治《たいじ》してしまったそうです。

それからは、年に一回のお宮での人身御供《ひとみごくう》はなくなり、人々は安心してくらした

そうです。

その後、小太郎は、村の人々にすすめられて、その年の人身御供《ひとみごくう》のはずだったそのむすめといっしょになり、村をおさめ、よか世をくらしたそうです。

［一九七五年　悪石島　宮永宗市さん（明治四三年生まれ）より］

8　二十三夜様《にじゅうさんやさま》

昔、ある船が大シケにあって、船はこわれて、風まかせ、波まかせで流れておったそうです。

そのとき、フカ（サメ）の群《む》れがやってきて、船のまわりをぐるぐる、ぐるぐる回るのだそうです。

そこで、その船の船頭が言うには、

「だれか、モン（命のなりゆき。運命）の切れた人がおりはせんか。その人がおれば、そのために、これだけの人たちがなんぎしている。あのフカは、そのモンの切れた人をねらって回っているのじゃ。」と。

「そいじゃあ、手ぬぐいを海に投げ込んでみれ。手ぬぐいにフカが食いついた人がモンの切れた人じゃ。」

と言ったそうです。そこで、みんなはしかたなく、次々に手ぬぐいを海に投げ込んだそうです。

ところが、フカはそれらの手ぬぐいには、一匹も寄《よ》ってこなかったそうです。

「もう、おらんか。手ぬぐいを投げんものはおらんか。」

と言うと、

「もう水夫《かこ》はみんな投げもした。しかし、メシタキが一人、残っておりもす。」と。

メシタキは、そのとき、船内で一人で、みんなのご飯《はん》をたいて、落ちこぼれた米粒《こめつぶ》を拾い集めて、水につけてお洗《せん》米《まい》にして、二十三夜さまにそなえて、ひとりでおがんでいるところでした。

水夫《かこ》がメシタキのところによびに行くと、何かおがんでいるので、

「この大シケに、お前は何をしているか。」

と言うと、

「船底《ふなぞこ》に落ちた米粒を拾って、二十三夜さまにあげておがんでいる。」

御岳の北方に展開する古い噴火口跡の、スリバチ。琉球竹が茂り、蒲葵(こば)も点々と。その向こうの大峰は焼畑地(悪石島、1989)

と言うたそうです。すると、

「この大シケに、二十三夜も何もあるもんか。」

と、しかられたそうです。

そして、よばれて、船頭のそばにいくと、船頭が言うたそうです。

「みんなが手ぬぐいを海に投げ込んだけれども、フカは見むきもしない。お前が一人、残っておるから、お前も手ぬぐいを投げてみれ。」と。

そこで、そのメシタキが手ぬぐいを投げたところが、フカがすぐ飛びついてそれを食ったそうです。

「そら、こいだけの水夫が手ぬぐいを投げ込んだが、フカはやってこなかった。とこいがお前が投げたら、すぐよってきた。お前はモンが切れたやつじゃ。いや、モンがついちょったので、もうしかたがなか。」

と言って、メシタキを海にほうり込んでしもたそうです。その少年をなあ。

ところが、フカは、メシタキ少年を背なかに乗せてなあ、島の海岸につれてきて少年は助かったそうですよ。しかし、船はこわれて、どこへやらわからなくなったそうです。

［一九六五年　悪石島　坂元新熊さん（明治十八年生まれ）より］

9　昔の悪石島の天気予報《てんきよほう》と沖言葉《おきことば》

(1)　昔の天気予報《てんきよほう》

○土用《どよう》にかみなりが鳴れば風は吹かん。

※　土用とは、立夏《りっか》・立秋《りっしゅう》・立春《りっしゅん》の前の十八日間をいいます。

○航海は、旧暦の月の七日はきらう。シケ日にあたる。二十三夜もシケルといわれます。昔は、遠い帆船旅《はんせんたび》でもするときは注意せよといわれました。

○申《さる》の日と酉《とり》の日も、シケ日という。

○子丑《ねうし》、トレバン（風がとれる番）といわれるが、子丑《ねうし》の日には海がシケルこともあるそうです。

○悪石島の西が暗くなるときは、東雨《こちあめ》。

○トカラ（宝島）があまりよく見えるときは、雨か風。

○雲が低く飛ぶときは、天気があぶない。

○朝焼けは雨、夕焼けは天気。

○夕日がしずむとき、黒い前雲をもつと、翌日《よくじつ》は必ず東風《こちかぜ》。

○冬、太陽がキラキラ光って落ちると、翌日は天気が悪い。

○冬、太陽が大手（日足《ひあし》）を広げて、やすむ（しずむ）ときは、天気がよくなる。

○悪石島の人は、漁《りょう》に行くときは、村はずれのスバタケに行って、白波のたつ潮枕《しおまくら》を見て、潮の流れを知る。よくわからんときは、沖に出て船を流すとわかる。トカラの海は黒潮本流が西南から東北へ流れ潮流《ちょうりゅう》も複雑《ふくざつ》だ。

○潮を見て、潮ムネ（潮ガミ、潮の流れる元）を見る。魚は潮ガミにいる。

○五月の南風をアラバエという。六月の南西風をアオバエという。八、九月のアオギタになると、桜島や諏訪之瀬《すわのせ》の岳《たけ》に雪も降る。アオギタは、強い北西風が吹いて、海は青々とし、内地（本土）からトカラ、沖縄へ、帆船で一気に航海できた。

(2) 沖言葉

○沖では、動物のことはあまりいわない。風名《ふうめい》の十二子《じゅうにし》（子《ね》丑《うし》寅《とら》卯《う》辰《たつ》巳《み》……）に重《かさ》なるので。たとえば、ネズミは「子《ね》の方の風（北風）」の子《ね》に重なるのでいわない。

○悪石島《あくせきじま》の南、五里（二〇km）ぐらい沖で、昔、カツオをたくさんつった船がしずんだことがある。その曽根《そね》（漁場《ぎょじょう》）で動物のことはいわない。

○「ヅーヅー（舟の垢《あか》（水）取り）」の名は沖ではいわないで、ユトリという。
○つりなわのナワも、沖ではナワといわずに、カズラというた。

「一九六五年と一九七五年　悪石島　坂元新熊さん（明治十八年生まれ）、宮永勝彦さん（明治四〇年生まれ）より」

10　びんぼうな若者二人

昔、庄屋さんのところに、ときどき働《はたら》きにいっているびんぼうな若者が二人、近くに住んでいたそうです。

正月が来るけれども、餅《もち》もつけない。二人は「もう寝《ね》正月《しょうがつ》じゃ。」と言っておったそうです。

しかし、元旦には、庄屋さんの家へ年頭のあいさつにいって、ごちそうになろうと言うていたそうです。

若者二人は、ちょっととんちのある人と、ちょっととんちのない人だったそうです。

まず、とんちのある人が先に行って、

「おめでとうございます。昨年はお世話になりました。今年もよろしくお願いいたします。」

と言ったそうです。すると、庄屋さんは、

「ま、お互いよろしゅうたのむが、昨晩《さくばん》は、よい年をとれたか。」

と言われたそうです。

「はい、ま、おかげさまで、立派な年がとれました。」

と言ったら、庄屋さんが、

「お餅はなんぼ、ついたか。」

と聞くことじゃったそうです。

「はい。イカ（床《ゆか》）がごとごと（五斗《と》）して、また、タタミはシトシト（四斗《と》）していたので、あわせて九斗《きゅうと》つきました。」

と言うたそうです。すると、庄屋さんは、

「ほう、それはたいした餅をついたな。こらぁ、めでたい、めでたい。」

と言われて、たいへんなほうびをくれたそうです。

そしたら、次の日に、とんちのない若者が、

「きょうは、おれが庄屋さんのところに行って、ほうびをもろうてくる。」

と言い、出かけたそうです。

そして、庄屋さんにあいさつをかわすと、庄屋さんが、

「ところで、餅はいくらついたか。」

と言われたそうです。

その若者は、

「はい。床《いか》がぐゎたついて、タタミがべたついて、あわせて九斗つきました。」

と言ったら、庄屋さんが、

「正月早々に、ウソをぬかすな。どうして、ぐゎたとべたで九斗になるか。」

とおこって、げんこつをいくつかもらって、その若者はコブだらけになってもどってきたそうです。

これは、ばあさんから聞いた昔話です。もう、こしこの話じゃったなあ。

［一九七五年　悪石島　宮永宗市さん（明治四三年生まれ）より］

11　宵《よい》の明星《みょうじょう》、明《あ》けの明星《みょうじょう》

昔、あるところに、父と母は早くなくなって、姉と弟がくらしておったそうです。

ある日、「弟は出かせぎにいってくる。」と言うて、出かけたところが、途中でトラの子が土手の上からころがり落ちてきたそうです。

そこで、「かわいいなあ。」と弟は思うて、トラの子を拾い上げ、持っていた弁当を食べさせたそうです。そして、

「縁《えん》があったら、また会おうな。」

と言うて、放《はな》してやったそうです。トラの子は、後をふり返りながら行ったそうです。

そして弟は旅を続け、どこかの町に行ったそうです。それから何十年かして、弟は久しぶりに故郷《ふるさと》へ帰《かえ》ってきてみたそうです。

ところがもう、自分のいた村は荒《あ》れ果《は》ててしもうて、どこがわが土地じゃったかもわからんようになっていたそうです。

「うわーっ、こらぁ、どうしようもなかなあ。」

となげいていると、どこからか太鼓《たいこ》をたたく音が聞こえてきたそうです。

その音をたよりに行ってみると、古ぼけた自分の家で、姉さんがいて太鼓《たいこ》をたたいていたそうです。

「姉さん、おれじゃ。今、もどってきた。」

と言うと、

「ようこそ、もどってきた。村の人もみんな死んでしもうた。自分が一人残って、お前がもどってくるのを待っちょったとこいじゃ。ほいじゃから、お前はちょっとここにおって、この太鼓《たいこ》をたたいてくれ。姉さんはちょっと川にいたてくるから。」

と言うたそうです。弟は、姉さんの言うた通り、太鼓《たいこ》をたたいていると、白いネズミが二匹、ジロ（いろり）の自在かぎをつたって、天井《てんじょう》からおりてきて、

「こらこら、お前は油断《ゆだん》するな。姉さんは鬼《おに》じゃ。みんな姉さんに食い殺されてこういうざまじゃ。お前は早《はよ》う逃げなさい。その太鼓《たいこ》は自分たちがたたくから。」と言うたそうです。

そいで、弟は逃げていきました。すると、しばらくしてから、太鼓《たいこ》の音が少し違うのに気づいた姉が、川からもどってきました。その姉の姿は、大きな口がさけて、きばをむきだした山姥《やまんば》の姿になっていて、手には、川でといだ包丁《ほうちょう》を持っていたそうです。

山姥の姉は、弟のあとを追いかけました。弟は一生懸命《いっしょうけんめい》に走り、とうとう空に舞《ま》い上がって逃げました。そして、姉が宵《よい》に西の空にかけて追《お》うときは、弟はもう必《ひっ》死《し》に走って逃げ、夜明けには東の空に逃げていたそうです。

そして二人とも天を走っていくとき、トラが現《あらわ》れて、山姥の姉を食い殺し、弟は助かったということです。

ほいからのち、本当の姉は、宵《よい》の明星《みょうじょう》になって西の空にかがやき、弟は明《あ》けの明星《みょうじょう》になって東の空にかがやいているのだそうです。

［一九七五年　悪石島　宮永宗市さん（明治四三年生まれ）より］

12　あぶらおんけん

あのなあ、便所《べんじょ》に行ってよ、左の耳で初めてホトトギスの初音《はつね》を聞くときはなあ。それは右の耳じゃなくて、必ず左の耳で聞くもんじゃというよ。

そのときは、

「ホトトギス、きょうが初音《はつね》と思うなよ、きのうも聞いたど。きょうは冬声、あぶらうけんそわか（梵語《ぼんご》。「阿毘羅吽欠蘇婆《あびらうんけんそはか》」。これは、大日如来《だいにちにょらい》という仏様を祈《いの》るときの呪文《じゅもん》で、それが成就《じょうじゅ》すること）。」

と言って祈るのじゃなあ。

左の耳で聞くというのは、この村では東を向いてしゃがむとよ、左は御岳《おたけ》に続く森山があってなあ。

右のむこうにも聖地《せいち》の飯盛山《いいもりやま》が見えているからなあ。しかし、島一番の御岳のほうからおりてくるホトトギスの声こそ大事じゃちゅうわけよ。

もう一つ、海岸の温泉場《おんせんば》に行くときなどはなあ、人間はおしっこしたり、よごれもんにさわったりしてけがれているでしょう。

ほいで、その神様の前などに行くときは、水を使わんなならんわけよ。とこいが、温泉場《おんせんば》に行くときは水がないので、回りの柴《しば》の葉をつみ切って、そなえながら、

「天竺《てんじく》の水なし川の柴辻《しばつじ》を柴できよめ、阿毘羅吽欠蘇婆《あびらうんけんそはか》」

と、三べんとなえなければならん、といわれておるよ。

［一九七五年　悪石島　宮永宗市さん（明治四三年生まれ）より］

13　オダチ婆《ばあ》さんの話

この島になあ、タチという名の婆《ばあ》さんがいて、村の人はオダチ婆《ばあ》さんとよんでいましたよ。

そのオダチ婆《ばあ》さんが語《かた》った話に、昔、乞食《こじき》みたいな人がやってきて、

「一晩泊《と》めてくれんか。」

と言うたそうです。

その家は、年寄《としよ》り夫婦《ふうふ》で、もう今夜から鍋《なべ》もたぎらん、かぶいもんもなかというありさまで、

「わたしの家はなんの用意もできないし、また、きたないところですが。」

と言うたら、

「いや、床《ゆか》の下でもよろしい。」

と。すると、

「いやいや、もったいない。床の下には休ませられん。粗末《そまつ》ながら、内ぃあがってください。」

と。そして、そのじいさんと婆《ばあ》さんは、自分たちは食べずに、その人に食べさせたそうです。そして、粗末ながらもよか着物を着せ、そこにあるうちで一番よか布団《ふとん》をかぶせてねむらせ、自分たちはボロのワラぶとんをかぶって寝たそうです。

そうして夜が明けてみたら、その人は暗いうちに発《た》っておらんじゃったそうです。

「あらあ、この人はもう帰っちょるのう。お茶でもわかして、さしあげんならんやったのに。」

と言いながら、寝床《ねどこ》を開《あ》けてみたところが、たくさんのうんこをしちょるとやなあ。

「まあまあ、ゆうべのお客さんは、ここにうんこをしちょるがえー。」

ちゅてなあ。

ほいで、そのうんこをとって、そとに投げたとやなあ。そしたや、うんこの下に金銀、大判小判がたくさん出たそうですよ。

そして、そのじいさん、婆《ばあ》さんは、たいそう幸《しあわ》せにくらしたそうです。

もう、こしこの話。

［一九七五年　悪石島　宮永宗市さん（明治四三年生まれ）より］

14　欲《よく》のくまだか

「欲のくまだか」ちゅう言葉がありますよ。

「欲のくまだか」ちゅうは、欲がつっぱって、人の上になっていばるな、人の上に立ってするな、ということだそうです。

さて、あるとき、空を飛ぶ鷹《たか》の中でも、強い熊鷹《くまだか》が、二羽でケンカしたそうです。何か獲物《えもの》あらそいでしょうなあ。

そのとき、一羽は負けてしまい、もう一羽が勝ったそうです。その勝った熊鷹は、

「勝《か》った、勝《か》った。」

と言って、高い木のてっぺんで勝ち誇《ほこ》っていたそうです。とこいが、そのとき、上から鷲《わし》が飛んできて、熊鷹をやっつけたそうですよ。

それで、あんまり自慢《じまん》するなということじゃな。また、「能《のう》ある鷹《たか》は爪《つめ》をかくす」というてね。やはり、自慢するな、謙遜《けんそん》せよということですね。

［一九七五年　悪石島　宮永宗市さん（明治四三年生まれ）より］

15　一つ目の者

この島の浜の村になあ、昔、中村栄蔵《えいぞう》という元気な若者がおったそうです。その人が浜道を行きおったら、あんた、それこそものすごい一つ目のものが、電球みたいなものを明かしてむこうてきたもんじゃから、こんだあ（今度は）、その竹や大きな魚を切るヤマキイという山刀を持ってなあ、栄蔵が立ち向こうていくわけですよ。ところが、その一つ目のものは、びくともせんで、やってきたそうです。さすがの栄蔵もおどろいてよ、命からがらもどってきたということです。

それからしばらくして、栄蔵は臥蛇島《がじゃじま》から嫁《よめ》さんをもろうことになって、臥蛇島《がじゃじま》に行ったそうです。そして、嫁さんをつれて波止《はと》までくるとき、なんか後から、「ひゅうひゅう」ちゅうて、つけられているようだったそうです。そのまま、やってきた汽船《きせん》に乗って無事に悪石島《あくせきじま》に着いたけれども、あれは不思議じゃったというたそうです。

この島には、ゆうれいはときどき出て、何人《なんにん》も見たというのです。もう一つ、がっぱ（河童）もおるといわれています。浜道に出た一つ目や臥蛇島《がじゃじま》のの「ひゅうひゅう」という者など、がっぱであったかもしれませんな。

［一九七五年　悪石島　宮永宗市さん（明治四三年生まれ）より］

16　三月節供《せっく》の潮干狩《しおひが》り

ある浜辺の村でなあ、三月節供の日に、母親が赤ん坊をせおって潮干狩りに行ったそうですよ。

磯《いそ》に着くと、サンゴ礁《しょう》の瀬《せ》の上に赤ん坊を置いて、

「お前《まや》ぁ、いっとき、ここに待っておれよ。」

と言うて、自分は貝とりに行ったそうです。

その日は貝がよくとれて、むちゅうになってとったそうです。そして、ひょっと気がついて赤ん坊のいた瀬を見ると、潮《しお》が満ちて赤ん坊も瀬も見えなくなっていたそうです。

母親は、気ちがいのようになって、赤ん坊の名をさけびながらさがしたそうです。しかし、見つからない。そのうちに潮はますます満ちてきて、母親の姿もやがて海の中に見えなくなったそうです。

［一九七五年　悪石島　宮永宗市さん（明治四三年生まれ）より］

17 猿《さる》の嫁《よめ》

暑い夏の日に、むすめ三人つれたじいさんが陽に照《て》らされながら、粟畑《あわばたけ》の草を取っていたそうです。三人は、少し間《ま》をおいて草取りをしていました。そのとき、じいさんがふと、

「うんにゃこらあ、暑かもんじゃ。誰《だい》か加勢《かせ》をする人はおらんもんか。加勢をすれば、三人のむすめのうち、だいか一人《ひとい》はやっとにねぇ。」

と言ったそうです。

そうしたら、木の枝から一匹の猿が飛びおりてきて、

「じいさん、むすめをくれぇば、草を取ってやるよ。」

と言うたかと思うと、たちまち何十ぴきもの猿たちをつれてきて、草をきれいに取ってしもうたそうです。そして、

「何月何日にむすめをもらいにいくからな。」

と言って、山のほうにもどっていったそうです。

とこいが、アワ畑から家にもどるとじいさんは、どたっと寝こんでしもうたそうです。猿にむすめをくれると言うたが、どうすればよいかと思うと、気が重かった。もし、むすめをやらんと、猿のやつらにどんな目にあわされるかわからん。こう考え

ると、じいさんの気はめいるばかりじゃったそうです。

そんなじいさんを見て、長女が枕元にやってきて、

「おとうさん、気分が悪いのですか。ご飯はおかゆを作ってくるから、食べんかよ。」

と言うと、

「いや。」

と言い、

「じゃあ、薬を飲まんか。」

と言うても返事《へんじ》はないのでした。

ところが、しばらくして、

「ねえ、相談をするが聞いてくるいか。」

「ないや、相談て。」

「じつはなあ、こなんこなんで、猿にむすめを一人くれるようなことを言うたのや。ほしたや猿が粟《あわ》ん草取いの加勢《かせ》をすっとこいや、お前たちも見ておったじゃろ。」

「おとうさん、猿の約束なんど守るもんかよ。ばかばかしか。」

「いや、畜生《ちくしょう》でも三分《さんぶ》の魂《たましい》はある。まして、かしこい猿や。約束は守らにゃいかん。そいで大困《おおこま》りじゃ。何月何日にもらいにくると、約束したよ。」

「そんな。猿なんかに、だい（だれ）が嫁に行くもんか。」

長女はそう言うと、ぷいと横を向いて立ち去ってしもたそうです。すると、二番むすめも聞いておって、

「わたしもいかん。そんなばかな話があいもんか。」

ちゅうて、家から出て行ってしもうたそうです。

すると、末のむすめが近づいてきて、

「おとうさん、わたしが行きます。」

と言うたそうです。

そして、何月何日になって、本当に猿がむすめをもらいにやってきたそうです。むすめは大きくてじょうぶな風呂敷《ふろしき》に、着替えなど入れてそれを背負《せお》い、家を出たそうです。途中、風呂敷は猿に背負わせ、そして山の猿の家に行ったそうです。
二、三日してむすめが、
「おとうさんの見舞《みま》いに行きたい。」

と言い出すと、猿も、

「そうしよう。」

と言ったそうです。山のみやげには何がよかろうかということになって、むすめが、

「おとうさんは、餅《もち》が好きだ。それも草餅《くさもち》が好きだ。」

と言うと、さっそく石臼《いしうす》を出して、餅米《もちごめ》とヨモギをふかして餅をついたのでした。

猿がそれを臼《うす》から出してちぎろうとするので、むすめが、

「いや、おとうさんは、餅はちぎらないで、石臼から出さずに、臼ごと持っていくと喜ぶから。」

と言うて、むすめがくるときに持ってきた大きくてじょうぶな風呂敷で、草餅の入った石臼をつつんで、猿に背負わせ、里の家に向かったそうです。

夫婦で川べりをくだって行きょうったら、見事なサクラの花が咲《さ》いちょったそうです。

「あらあ、こら、めずらしいサクラの花だね。」

とむすめが言うたら、猿が、

「おとうさんにみやげに持っていこうか。」

と言うたそうだ。

「うん、そうじゃ。おとうさんも花好きじゃって、この花をみやげに持っていこうや。」

と、むすめが言いました。

そして、猿が石臼を地面に置こうとしたので、

「いや、石臼はそのまま背負《かる》うてくれ。おとうさんは、、あんたが石臼をおろして取った花は嫌《きら》いじゃから、石臼は背中《せなか》に背負《かる》うたまま、花を取ってくれ。おとうさんが一番好きな花は、あの川の瀬《せ》のはげしいところの真上《まうえ》にある枝《えだ》よ。」

と言うたそうです。そうしたところが、重い石臼を背負うた猿がサクラの木の枝先《えださき》の、しかも川の瀬の上の細い枝を取ろうとしたもんじゃから、サクラの枝が折れて、猿は石臼とともに川ん中にどぼーんと落ちて、川の水といっしょに流れていってしもうたそうじゃ。

そこで、むすめは一人、おとうさんのところに帰ったそうですよ。そしてまた、それからも親孝行《おやこうこう》をしたということです。

こんだけ、昔の人から聞きましたなあ。

［一九七五年　悪石島　宮永宗市さん（明治四三年生まれ）より］

18　炭焼《すみやき》小五郎

あるとき、小五郎という人が炭焼をしてくらしておると、都から神様のおつげでやってきたといって、きれいな女子《おなご》がたずねてきたそうです。

そして、

「とにかく泊《と》めてくれ。」

と言うたそうです。

「わたしんところは、こんなきたないところで、食べるものものろくなものはなか。

とても泊められん。」
と言うて、断ったそうです。

「いや、そこの炭がまの前でも、どこでもかまわんので、泊めてください。」
と言うたそうです。続けて女子は、
「食べるものもろくにないと言われたようでしたが、そいでは、あんたに買い物を
してもらいたい。」
と言って、三枚の大判を渡したそうです。

小五郎は、その大判三枚を持って、買い物に出かけたそうです。そして、田をす
ぎ、野を越えてしばらく行ったら、池のほとりに出たそうです。小五郎は買い物のことは
見ると、池の中にオシドリが二羽浮いていたそうです。
けろっと忘れて、そのオシドリをとって女子に見せんにゃと思うて、そん大判を三
枚とも投げてとろうとしましたが、全部あたりはずれて、オシドリは二羽とも逃げ
てしもたそうです。

そいで、もう買い物はできんじゃい、こんだァ、わが家ゃに、いや、その炭焼き小屋
にもどってきたそうです。

そうしたら、その女子が、
「あんたは何も持ってこなかったようじゃが、大判はどうしましたか。」

六・悪石島

と、たずねるとこいじゃそうです。すると、小五郎は、

「あれはオシドリをとろうとしちぇ、池の中に投げ込んでしもうた。」

「あーら。あんたはなんの役にもたたん人じゃ。あの銭《ぜに》は、おしいことをした。」

と女子が言うと、小五郎は、

「いや、あんな大判のようなもんなら、うちの炭がまのうしろになんぼでもあるがな。」

と言うたそうです。

そこで、二人は炭がまの後ろに言ってみると、本当に大判の小山《こやま》があったそうです。ふたりは大金持ちになって、よか世をくらし、のちには神様にまつられたという話です。

［一九七五年　悪石島　宮永宗市さん（明治四三年生まれ）より］

19　ヘビの恩返《おんがえ》し

ある村に医者さんがおってよ。ある日、病人が出たので診察《しんさつ》に行く途中《とちゅう》、子どもたちが大勢《たいせい》いて、小さいヘビをいじめていたそうです。

医者さんはそれを見て、かわいそうに思って、

「おい、お前たち、そのヘビをおじさんに売ってくれんか。お金をあげるからね。」

と言うと、子どもたちは、

「よかよー、おじさん。」

と言って、お金をもらい、ヘビをやったそうです。

すると、医者さんはその小ヘビをもらって、川に流してやったそうです。

診察からもどった医者さんは、奥《おく》さんに、

「きょうは、子どもたちが小ヘビをいじめていたので、金をやって、川に流してやったよ。」

と言うと、奥さんは、

「それはよいことをしましたね。」

と言ったそうです。じつは、その奥さんは病気がちで、からだが弱かったそうです。

それで、

「ご不自由でしょうから、女中さんをつかってみてください。」

と言うたそうです。間《ま》もなく、奥さんはなくなったそうです。

そいから、しばらくして、ある日、若い女がやってきて、

「わたしを女中につかってください。」

と言ったそうです。見ると、たいへんきれいな女であったので、

「いやいや、あんたのようなきれいな女は、ここの女中にはむかないから。」

と、断《ことわ》ったそうです。

「いいえ、わたしはどんな仕事でも、一生懸命《いっしょうけんめい》しますから、ぜひ、つかってください。」

と言うので、女中に雇《やと》うことにしたそうです。

そして、何日かすぎるうちに、あんまりきれいな女なので、ついつい夫婦みたいな中になったそうです。

そして、往診《おうしん》に行っていたが、何日かしたある日のこと、往診から帰ってきて、呼んでも出てこなかったそうです。その女中がですよ。

そこで、女中部屋《じょちゅうべや》を開《あ》けてみたら、長くのびたヘビがおったそうです。すると、そのヘビがたちまち女中の姿に変わって、

「だんなさま、わたしはあなたに助けてもらったヘビです。少しでも、あなたの手伝いをしようと思って、女中になってまいりました。きょうは、油断《ゆだん》をしてゆっくり休んでおったところが、だんなさまに正体《しょうたい》を見られてしまいました。もうこれ以上、ここにおるわけにいきません。わたしはこれでいとまをもらいます。ありがとうございました。」

こう言うと、さっさと出ていったそうです。

もうこしこの話。

［一九七五年八月　悪石島　西スエさん（大正十二年生まれ）より］

七. 小宝島《こだからじま》

1　小宝島《こだからじま》の岩下姓《いわしたせい》

一九六四年、小宝島の岩下吉秀さん（大正十二年生）から聞いた話では、小宝島は平家《へいけ》の落人《おちうど》が住みついた島で、もとの姓《せい》は「平《たいら》」姓《せい》だそうです。そのころやってきた落人《おちうど》たちは、島の北側にある大岩屋《おおいわや》に入ってくらし始めたそうです。

　大岩屋は、何十人も入れる広い岩陰《いわかげ》の穴があって、今も大きなヤコ貝（夜《や》光貝《こうがい》）やボラ（ほら貝）の殻《から》などがあります。

⑲大岩屋入口（小宝島、1964年）。

大岩屋に住んだ落人たちは、平姓《たいらせい》を名のれば源氏《げんじ》がせめてくるかもしれないと言って、「岩下姓」に変えたのだそうです。

今、小宝島には十五戸ありますが、うち二戸は学校の職員住宅《しょくいんじゅうたく》です。あと一戸は、五年ほど前に名瀬《なぜ》から移住《いじゅう》してきた徳田姓の家です。それで、ほかの十二戸は、みんな岩下姓です。

［一九六四年　小宝島　岩下吉秀さん（大正十二年生まれ）より］

2　小宝島《こだからじま》ひとまわり散歩《さんぽ》

小宝島は小さい島で、一周道路を歩いて回ると、ゆっくり行って三〇分ぐらいです。それでも、この散歩はたいへんおもしろい。三〇分のうちに、島を三六〇度回ることになり、歩くごとに刻一刻《こくいっこく》、景色《けしき》が変わってくるのです。

島の東がわにある村（集落）を出て、北回りで小さい港のほうに行くと、フンガワという水湯《みずゆ》があるかと思えば、やがてガマの湯、隠居爺《いんきょじい》が温泉《おんせん》、マショガイドコなどの温泉群《おんせんぐん》が現れる。イドコとは、湯どこの意味で、温泉のことです。

さらにいくと、番座《ばんざ》の岩、タチガミの岩などがあり、そしてヨコセの石が見えてきます。タチガミは、島を守る大岩の神です。ところが、それらが見方によっては、猿や、居眠《いねむ》り爺《じい》さん、魔《ま》法使《ほうつか》いの婆《ばあ》さんの姿にも見えるのだからおもしろいのです。

やがて、元村の地です。ビロー樹がしげり、昔、島のほとんどの人が住んでいたところです。じつは、二百年ぐらい前までは人々が住んでいました。ところが、疱瘡《ほうそう》の病がはやってきたので、今の村の地に移住《いじゅう》したのでした。

元村から少しはなれて、カミダンをはじめ、神々をまつった遺跡《いせき》があります。そして、海岸には、クダカ泊《どまり》といって、沖縄の久高島《くだかじま》の人たちが根拠《こんきょ》地《ち》にしていた船《ふな》つき場もあります。かれらは、エラブウナギやヤコ（夜光）貝をとったのです。少し先には、平家の大岩屋があります。

さらに行くと、船見石《ふなみいし》です。昔、大島航海の帆船の帰りを待っていた場所です。船が帰ってくるころの夜は、そこで火をたいて、小宝島のありかを知らせたのだそうです。

船見石の右側には、海辺《うみべ》近くにウネガミという岩山が見えます。これは、もともとは、根神山《ねがみやま》で、大根神山《おおねがみやま》の意味です。畝神《うねがみ》と書いたりします。

⑳猿に見える番座の岩とタチガミの岩。タチガミの岩は、居眠りしている爺さんの鼻にも見えます。

この小山の裾《すそ》には、ホラ穴があって、「人盗《と》いが穴」とも、「与助与太郎《よすけ》が穴」ともいっています。

この与助とは、中之島のところでしるした日向の海賊《かいぞく》、与助のことです。昔、与助はトカラの島々を荒らし回り、小宝島にもやってきました。そのとき、島民たちは、この「与助与太郎が穴」にかくれて、難《なん》を逃《のが》れたのでした。入口はせまいけれども、奥は深くて広いホラ穴なのです。

戦時中は、アメリカ軍の飛行機が見えると、そのホラ穴にかくれたということです。アメリカ軍の空襲《くうしゅう》は、昭和二〇年四月のことで、その日、十二機が小宝島をおそい、二回往復《おうふく》して焼夷弾《しょういだん》を落としたそうです。

それが当たって燃えてしまった家は、秀吉さんの家、英雄さんの家、忠男さんの家、伊太郎さんの家など、八戸だったそうです。伊太郎さんは、大阪の会社を退職《たいしょく》し、よい家をつくったばかりでした。アメリカの飛行機、艦載機《かんさいき》はこんな小島もおそったのでした。

そして、間もなく、四月のお祭りのときも、空襲《くうしゅう》の被害《ひがい》を受けました。人々はみな、宮まいりしていましたが、そのころ、ちょうど家にいて、ヂロ（いろり）のそばでお茶を飲んでいた甚男《じんお》氏の父母は、二人とも、機銃弾《きじゅうだん》のためにケガしたそうです。

ところが、その前に、浜でアメリカの赤十字マーク入りの箱を拾っていたそうです。その中のぬり薬（ペニシリン）をつけたら、機銃弾《きじゅうだん》によるケガは、間もなく治ったということです。

［一九七五年　小宝島　岩下彦助さん（明治三〇二年生まれ）より］

3　空襲《くうしゅう》をさけてトカラの島々を南下《なんか》

昭和二〇年四月、小宝島が空襲でやられたとき、彦助さんは、鹿児島市での十島村の議会へ出ていくため、中之島まで行っていたそうです。

中之島に各島の議員たちが集まって、十島丸で鹿児島へ行く予定でありましたが、アメリカ軍が沖縄に上陸したので、十島丸も通《かよ》わなくなったのでした。

議員たちは、何ヵ月も中之島にとじこめられました。しかし、彦助さんはどうしても小宝島へもどろうと思い、中之島の青年団から三百円で丸木舟を買ったそうです。

ところが、宝島の議員一人と教員一人、大阪から来ていて宝島へ帰る三人（男一人と女二人）も同乗し、彦助さんを入れると合計六人が乗り込んだそうです。

もう六月になっていましたが、夜の六時半に中之島を発《た》ち、夜明けに諏訪之瀬島《すわのせじま》へ着きました。凪《なぎ》の風待ちのために、諏訪之瀬島に十日ほどおったそうです。

そして、夜六時半に同島を発って、悪石島《あくせきじま》へ向かったのです。ところが、波風《なみかぜ》が強く、彦助さんは皆を死なせはしないかと心配したそうですが、まあ、なんとか悪《あく》石島《せきじま》に着いたのでした。

悪石島では、有川広美さんの宅にヤドをとってお世話になったそうです。悪石島の人たちは、初めは敵の上陸かと思ったそうです。

そして、翌日の夕方、風が凪《な》いできたので小宝島へ向けて出発。こうして夜間に行くのは、敵機《てっき》に見つからないためでした。

ちょうど、明け方に敵機を見たそうです。もし、向かってきたら、海に飛び込もうと思っていましたが、気づかれなかったようです。

小宝島ではネブリの港（湯泊港）に着いたのでした。村にもどると、グラマンが七機やってきました。もう少し、舟が遅れたら大変でした。小宝島に帰ってみると、家は何日か前の空襲《くうしゅう》で焼けていたのです。

彦助さんは、中之島におるころにも、二回、空襲を受けていました。一回目は、農協支所が焼け、もう一回は、宝島から来て「タンコ屋」（桶屋《おけや》）をしている人が機銃弾《きじゅうだん》を受けて死に、、そのとき、兵隊さんも一人負傷しました。小宝島の民家がやられたのは、このころではなかったかと思われます。

小宝島に丸木舟で着いたその晩、宝島の人々は、その丸木舟で帰って行きました。

そのときは、松下伝男《でんお》さんの父が村議をしていましたが、その人を船頭にして、夜九時ごろ、小宝島を出て、十二時ごろには宝島に着いたということでした。するど、宝島の人々は、真夜中《まよなか》にその人々《びと》を見てびっくりし、

「お前たちは、人間のマブイ（魂《たましい》）か、モーレ（亡霊《ぼうれい》）か。」

と言うたそうです。

宝島もそのころ、空襲を受けて焼け野が原になっていたそうです。そして、山に疎開《そかい》する人も多かったといいます。

小宝島でも、大岩屋《おおいわや》や畝神山《うねがみ》（大根神山《おおねがみ》）のホラ穴に疎開《そかい》する人が多かったといいます。彦助さんの家は焼けましたが、長男の優《まさる》さんが、難破船《なんぱせん》に積《つ》んであった材木で家をつくったということです。

［一九七五年　小宝島　岩下彦助さん（明治三〇三年生まれ）より］

4　魚《さかな》の宝庫《ほうこ》、小宝島

台湾《たいわん》と与那国島《よなぐにじま》のあたりから東シナ海に入った黒潮は、東シナ海を北上して、トカラ列島の小宝島付近《ふきん》で向きを東に変え、太平洋へ出て、そして、トカラの東を北上して日向《ひゅうが》のほうに行きます。

小宝島の海は、この黒潮《くろしお》という海流と、次々に変わる潮流《ちょうりゅう》が組み合わさって、潮《しお》の流れが複雑《ふくざつ》になっています。

その潮には、名がついていますが、魚がいる潮流といない潮流があるそうです。潮流名を次にあげます。

① ムイアゲシオ

この潮のときは、助八という曽根《そね》（漁場《ぎょじょう》）に、サワラ、シビ、シロムロ、カツオ、アカムロなどの魚が集まるといいます。

② ヨカラゲシオ

この潮のときも、ヨカラゲムネという曽根に、すべての魚が群《む》れているそうです。

③ カタゲシオ　この潮も魚が多いそうです。

④ カタビキシオ　この潮もやはり魚が多いそうです。

⑤ オービキシオ（オーアゲシオ）

この潮のときは、魚は底にいて、上には出てこないといわれます。

小宝島では、潮流は二時間おきぐらいに変わっていきますが、ほかの島では、一日中変わらないところもあるようです。小宝島は、このように、潮流が変わりやすい所ですが、そのために魚に恵《めぐ》まれた島です。

なお、小宝島を、宝島の人たちはシマゴといいますが、この語は、奄美弁でいうシマックヮ（島小）と同じ意味のようです。

のち、その音《おん》をとって、「島子《しまご》」と記すようになったと思われます。

『海東諸国記』という一七四一年に記された本には、すでに「島子」と出ています。

［一九六四年　小宝島　岩下吉秀さん（大正十一年生まれ）の話と筆者の研究より］

5　小宝島のネズミと猫《ねこ》、妖怪《ようかい》

昔、唐人《とうじん》（中国人）の船が小宝島のそばで遭難《そうなん》して、ネズミがあがったといいます。

しかし、いつの間にか、ネズミはいなくなりました。

ところが、昭和二〇年に、材木を積《つ》んだ船が小宝島で遭難し、また、ネズミがあがったといいます。そのネズミが害をあたえるので、宝島から猫を、五、六匹入れたそうです。また、岩下吉秀さんは、悪石島から猫をもらってきたそうです。

ところで、ネズミとは関係ありませんが、小宝島では、こわいものをヘンボン（変な者）といいます。しかし、子供をおどすときは、「ボジェがくっど」といいます。ボジェは、悪石島の盆踊《ぼんおど》りのとき、今も出てくるボゼと同じようなもので、仮面《かめん》をかぶってビローの葉を身をまとった神様です。それで、昔は小宝島でも、行事のとき、ボジェが出たのでしょう。

なお、奄美《あまみ》では、ガジュマルの木などについている妖怪《ようかい》を、ケンムンといいますが、小宝島でも、昔は、ガジュマルの下にはケンムンがいると言ったそうです。瀬釣《せづ》りに行くときは、ケンムンの話をしてはいけない。どうしても、ケンムンのことを言うときは、ヤセガミと言わなければならない、ということです。

［一九七五年　小宝島　岩下彦助さん（明治三〇三年生まれ）より］

6　磯道具《いそどうぐ》

昔、ある人が、磯道具を人から借《か》りて、魚釣《いおつ》りに行ったそうです。その磯道具は、三つ股の鉾《ほこ》に竿《さお》をさし、長い縄《なわ》をつけてあるもので、丸木舟などに積んでいき、サワラなどの大きい魚をとる道具です。

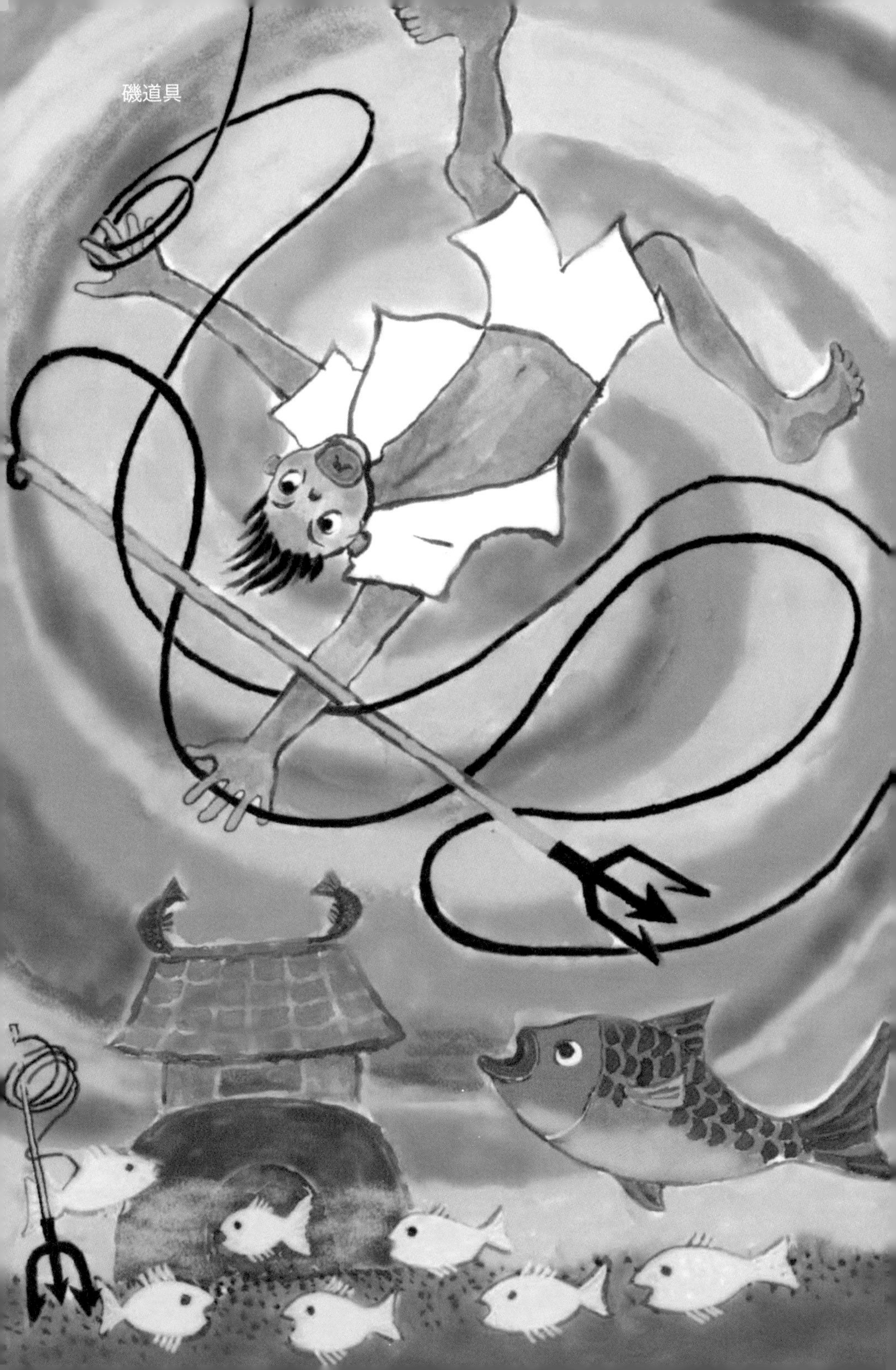
磯道具

ところが、磯道具を魚にとられてしもて、その人はもどってきたそうです。そして、かりた人の家に行って、じつはこうこうで魚にとられてしもたと言って、おわびをしたそうです。

しかし、かした人は、もと通りのものをぜひ、もどしてくれと言ったそうです。それで、かりた人は、なんとかしてもどしたそうです。

もどしてもろた人は、その磯道具を持って、喜んで丸木舟に乗って釣りに行ったそうです。

ところが、魚がかかって、釣り上げようとしたとき、その人は舟もろとも、海の中に引き込まれてしまったそうです。

そして、不思議なことに、「もっと先に行ってみれ」という声がして、先に行ってみたら、自分が貸《か》してとられた磯道具は、鉾《ほこ》も竿《さお》も縄《なわ》も、ちゃんと壁《かべ》にかけてあったそうです。

そこは竜宮《りゅうぐう》であったそうです。だから、磯道具を人にかして、それが魚にとられたからといって、もどせなどと言うもんじゃなか、といわれています。

［一九七五年　小宝島　岩下彦助さん（明治三〇三年生まれ）より］

7　コバの利用

小宝島には、コバ（蒲《くば》、ビロー樹《じゅ》）の林があります。それは、たいへんきれいな景《け》色《しき》をなしています。

島の人々は、このコバをよく利用しています。

① コバの若葉

コバの幹《みき》の上のほうには、黄色い芽《め》が出て、やがて黄《き》緑《みどり》色の若葉になり、そして緑色の葉になっていきます。

その若葉のとき、切ってとり、扇状《おうぎじょう》の葉っぱについている一本一本のサネ（筋《すじ》）をとり、何本かいっしょに持って、石の上に置いて横づつ（横槌《よこづち》）でたたいてやわらかくします。

そして、日に干し、縄《なわ》を綯《な》います。強く、きれいなコバ縄ができます。また、コバの若葉は裂《さ》かないで、そのまま何枚も重ねて蓑《みの》を作ります。

なお、コバの葉は綱《つな》、舟のつなぎ縄《なわ》、家のしめ

干し若葉製で、室内用コバ箒。軽快、美感、丈夫さを誇る（小宝島、1976）

縄などにします。蓑は、あまがっぱの役をします。

南九州などでは、あまがっぱは、ワラや棕櫚《しゅろ》の皮を使い、わら蓑《みの》や棕櫚《しゅろ》蓑を作りました。コバ蓑《みの》は軽くて、きれいです。

また、サネ（筋）をとらないで、そのまま乾燥《かんそう》したものを使って、ウチワやコバ笠《がさ》を作ります。一九七五年当時、このコバの若葉を乾燥させたものは、一本十五円ほどで本土へ出荷《しゅっか》していました。大隅の志布志などで、ウチワやコバ笠を作るのです。

緑になった葉は、広がったまま切り、カライモガマ（イモ穴）の上に乗せ、その上に土を乗せて、イモを保存《ほぞん》します。

②

コバの幹《みき》

二十年ぐらいたった若い幹（一mから二mぐらいの高さの幹）を根元から切ります。すると、中のシンのところには、直径《ちょっけい》一〇cmぐらいのやわらかい白い身があるので、それをとります。

凶作《きょうさく》のときは、それを煮《に》て食べるということです。オツユ（汁）などにカライモや魚などといっしょ

コバ団扇。軽くて涼しい。風情《ふぜい》がある（小宝、1976）

に入れて煮るとおいしい。このシンの白い身をコバのミといいます。終戦後は、幹を家の建築材にしたこともあります。

③　コバの子

「旧二月ごろ、コバの樹の上のほうにコバの芽《め》が出ます。この芽の花のツボミをコバの子といいますが、台風があったりして、食べ物がないときは、このコバの子を切って煮て食べたものです。アワつぶみたいでおいしいですよ。」

［一九七五年　小宝島　岩下彦助さん（明治三三年生まれ）より］

8　風の名前と季節風《きせつふう》

トカラの島々は、農業や漁業をするにも、また、丸木舟《まるきぶね》や帆船《はんせん》で航海《こうかい》するにも、非常《ひじょう》に風に注意してきました。

風には、吹いてくる方角によって、風の名前が違《ちが》い、また、季節によって風の名がいろいろついています。

特に、小宝島では風を重視《じゅうし》しました。では、どんな状況《じょうきょう》であったのでしょうか。

小宝島全景。朝日新聞社機上より筆者撮影（小宝、1965）

風の名前

図のように、風は吹いてくる方角《ほうがく》をもって呼び名にしています。

ウエイタノカゼは、真北《まきた》から少し西に寄《よ》った方角（北北西《ほくほくせい》）からも吹き、真北からも、また子《ね》丑《うし》（北北東）の方角からも吹きます。

スダイバエは、ハエ（南）よりも少し西の方角から吹く風です。

トカラ列島から奄美、沖縄では、北をニシといいます。トカラでは、西はマニシといい、奄美、沖縄ではイリといいます。北はウエイタ、東はコチ、南はハイ（ハエ）です。

〖小宝島の風の名〗

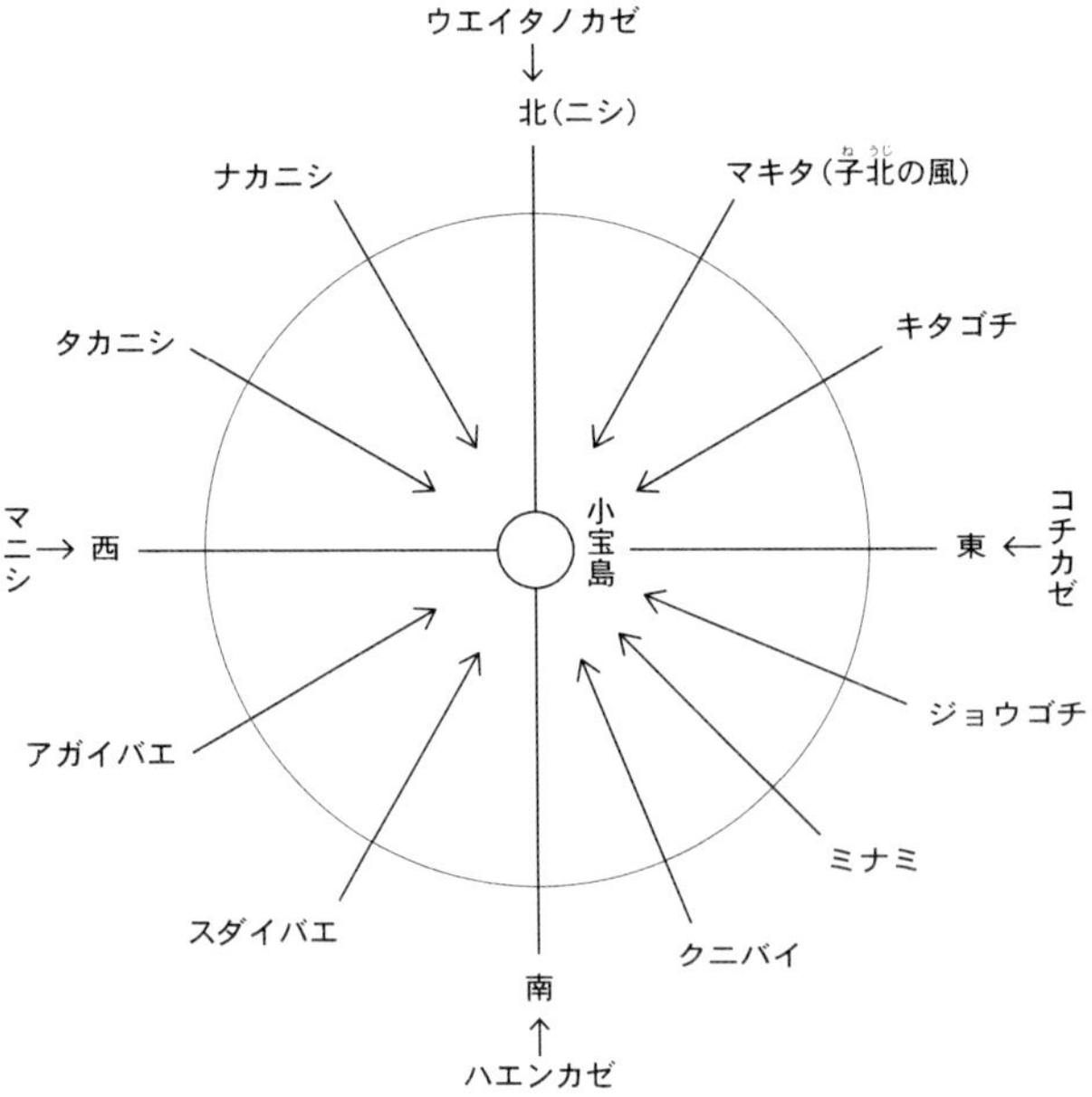

季節風《きせつふう》

風は、季節によって吹いてくる方角や強さ、弱さなど、いろいろ違います。月ごとに記すと、次の図のようになります。前にものべたように月はすべて旧暦《きゅうれき》です。

〖小宝島の季節風〗

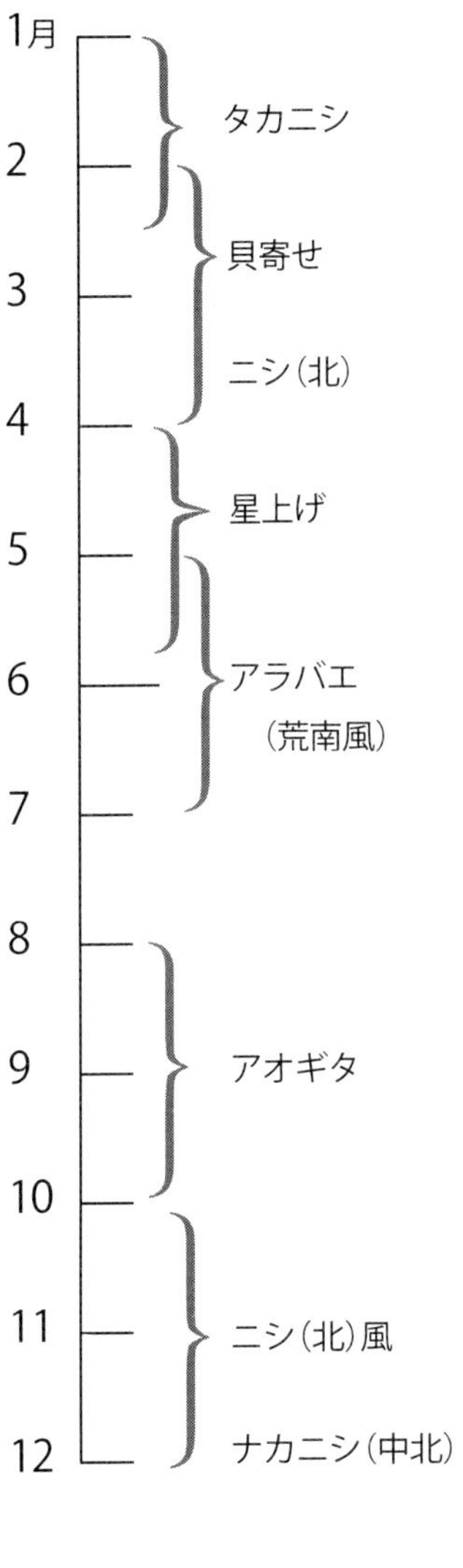

貝寄《かいよ》せは、二、三月に吹く北風で、シャクシの柄《え》につける一枚貝のシャクシ貝が寄ってくる時期《じき》ということです。この貝寄せはこわい風で、突然《とつぜん》やってきます。貝寄せは、一日のうちにも風がぐるぐる変わり、また、一日三回吹くのですまなければ、七回吹くといいます。二、三月に吹く風です。

　この風が吹くと、次は、「コトイビヨイ」、あるいは、「アカヒゲビヨイ」といって、よい春日和《はるびより》になります。アカヒゲの鳥とともに、風が南からやってくるというわけです。

三月のニシ（北）の風は、帆船《はんせん》時代、名瀬へくだるよい季節風でした。

星上げは、四月中に突然吹く突風《とっぷう》です。漁《りょう》に行くときは、これはおそろしい風で、注意しなければなりません。

アラバエは、五、六月に吹く南風《はえ》のことで、南から吹く強い風をいいます。アオギタは、八、九月に吹く北風で、吹き出すと、一週間から十四、五日間も吹き続けます。昔の帆船《はんせん》時代は、アラバエ、アオギタを利用して、琉球《りゅうきゅう》と本土を航海《こうかい》する船が多く、アオギタは強い北風なので、臆病者《おくびょうもの》には見せるなといわれました。

そのかわり、アオギタで南下すると、青々とした荒波《あらなみ》が立ち、北風によって帆《ほ》かけ船《ぶね》はぐんぐん進んだということです。

［一九六六年　小宝島　岩下彦助さん（明治三三年生まれ）より］

ある年の秋、筆者がトカラに行く十島丸に乗ったとき、海はどこまでも青々として大きな波が立ち、北風を背に受けて、汽船はどんどん進んでいく感じでした。アオギタの真《ま》っ只中《ただなか》を航海しているのでした。

もし、この船が帆かけ船ならば、この青い海原《うなばら》と荒波を越《こ》えて一直線《いっちょくせん》に進んで豪快《ごうかい》だろうなと思うことでした。アオギタは臆病者《おくびょうもの》には見せるな、といわれたのを実感しました。

アラバエは、この反対方向の風で、南から吹く強い風です。アオギタは、初秋《しょしゅう》の空をうつして青々としていますが、アラバエは初夏《しょか》の少し白っぽい海の色で、やはり荒波が立ち、南から北へ強い風が吹いているのです。

八・宝島《たからじま》

1　トカラ観音主《かんのんしゅ》

　宝島は、トカラ列島《れっとう》最南端《さいなんたん》の有人島《ゆうじんとう》です。ヒルゴー岳を中心に、緑《みどり》の山野《さんや》が続き、サンゴ礁《しょう》海岸がとりまく、円錐型《えんすいけい》の美しい島です。

　砂漠《さばく》といわれる広い砂丘《さきゅう》もありますが、宝島ではそこをカノクといっています。その近くでは、縄文《じょうもん》時代《じだい》の遺物《いぶつ》も出ています。この島には、数千年前から人が住んでいたのです。

　島の西南の地には、サンゴ礁の洞穴《どうけつ》の中に、トカラ観音主《かんのんしゅ》といって、木造《もくぞう》の古い観音さまをおいておがんでいます。今、お堂を建てて、その中に安置《あんち》してあります。

　その中の木像には、「文明四（一四七二）年」の墨書《ぼくしょ》

宝島を空から見る。集落の裏側の大原の方角より見る。朝日新聞社セスナ機上より、筆者撮影（1965年）。

があります。トカラ列島で最も古い現地の記録です。

六月二八日には、係《かかり》の人たちが燈籠《とうろう》をともして、お通夜《つうや》をしておがみます。一般《いっぱん》の人びとも、この通夜に参加します。つまり、トカラ観音主まいりをするのです。

これを歌った民謡《みんよう》「トカラ観音主」のメロディは、屋久島の「シャクダン花」と同じです。しかし、宝島の人たちの歌うメロディは、シャクダン花に似てはいますが、もっと独特《どくとく》の、うれしいような悲しいような魅力《みりょく》のメロディになっています。


〽トカラ観音主は、むすびの神よ。七度《ななど》まいれば夫《つま》たもる。

トカラ観音主が夫《つま》たもるなら、わしもまいるよ、七度《ななど》半《はん》。

トカラ観音主よ、よう聞きなされ。お願解《がんぼと》きにゃ二人づれ。

トカラ大籠《おごもい》を、捲《ま》きだす（帆綱《ほづな》をまきあげて船出《ふなで》する）ときゃ、雨が降《ふ》らんのに袖《そで》しぼる。

トカラ大籠《おごもい》は、二つ瀬《せ》がある。思い切る瀬と切らん瀬と。

歌詞はまだほかにもあります。さて、トカラ観音のサンゴ礁の鍾乳洞《しょうにゅうどう》の中には、ほかにも、勢至菩薩《せいしぼさつ》や地蔵さんなども安置《あんち》されています。
［一九六五年　宝島　坂元常助さん（明治二一年生まれ）が歌ってくださった歌と話です。］

2　鎮守大明神《ちんじゅだいみょうじん》

トカラの島々《しまじま》は、神社やお寺（無人寺）がたくさんあって、信仰の厚《あつ》い島々です。特に、神々はいくつもあって、各島にまつっています。

宝島にも、いくつかの神々がありますが、一番大きな社《やしろ》は、鎮守大明神《ちんじゅだいみょうじん》です。鎮守大明神には、上《うえ》の宮《みや》と下《した》の宮《みや》があります。

七月の米の祭りと、十一月のイモの祭りには、村中の人たちがみんな鎮守大明神《ちんじゅだいみょうじん》にお参りしてにぎやかです。

一九六五年に見たときは、男神役のオヤシュウ（太夫《たゆう》）や女神役のヌーシ（内侍《ないし》）たちがならんでお祭りをし、そろいの白いうちかけをまとったヌーシのお神楽《かぐら》があげられ、とてもよいお祭りでした。

トカラの他の島々では、女の神役をネーシといいますが、宝島と小宝島ではヌーシといいます。ヌーシは、鈴《すず》と御幣《ごへい》をもって舞《ま》うのです。

宝島には田んぼがあって、お米がとれ、田につくる田いも（サトイモの一種）もとれます。その感謝祭《かんしゃさい》が七月の米の祭りと十一月のイモの祭りです。これを大祭《おおまつ》りといっています。

オヤシュウが鎮守大明神《ちんじゅだいみょうじん》の前で上げるノト（祝詞《のりと》）の中には、次のような言葉があります。

「一国柱《いちくにばしら》（島主《とんじゅ》、平田家の本家の人）より、ゆりたての御花《おんぱな》シトギ、甘垂れ（甘酒）つけ垂れ申して、三献《さんごん》の肴《さかな》をととのえ申し、三献《さんごん》の幣《へい》を六垂《むたれ》にかきおろし申して、鎮守大明神の御方《おんかた》へささげ参らする。」

これは、コメの祭りである七月大祭りの中の一節《いっせつ》です。

十一月の大祭りでは、「右のゆりたての御花《おんぱな》シトギ、甘垂れ（甘酒）」のかわりに、「元広《もとびろ》葉広《はびろ》」という言葉になります。シトギは糯米《もちごめ》で作った、神様に供える餅です。

元広葉広は、田イモやサトイモのことです。

［一九六五年　宝島　オヤシュウ（太夫《たゆう》）の松下裔重《えいしげ》さんから聞きました。］

鎮守大明神にお神楽を上げる内侍とキミガミ（宝島、1965年）。

3　女神山《めがみやま》

宝島の西のほうに、女神山《めがみやま》（高さ一三〇ｍ）という美しい小山があります。そのすそ野は、コバ（ビロー）の林におおわれています。

この山は、その名の通り、女神《めがみ》をまつる山です。その女神は、髪《かみ》を長く垂《た》れた女の神で、見た人もいるといわれますが、じつは、女神山はトカラ各島にまつる根神山《ねがみやま》の神と同じ神です。宝島では、根神山といわないで、女神《めがみ》山というのです。しかし、ここをまつるヌーシ（内侍《ないし》）のノト（祝詞《のりと》）の中に、「根神八重森《ねがみやえもり》、差《さ》す笠《かさ》の宮」という言葉が出てきます。

この中の「根神」は、沖縄の村の古い家の女性を表す根神といっしょであり、「差す笠」は、沖縄すなわち琉球国《りゅうきゅうこく》の宗教《しゅうきょう》組織《そしき》の上位《じょうい》の女性を表します。このように、沖縄の信仰《しんこう》とつながるのです。これらは、中世にトカラが琉球の支配下にあった頃の名残《なご》りでしょう。

また、宝島の女神山の神は、別にまつってある風元権現《かざもとごんげん》と親《した》しいといわれます。風元権現《ごんげん》は、男の神さまです。そして、名の通り、風の神であり、特に、航海《こうかい》にとっては大事な神さまです。

カノク（別名砂漠）と村、女神山（右）を空から望む（宝、1965）

その航海は、沖縄や鹿児島との航海でありましょう。ここにも、宝島の南北勢力《なんぼくせいりょく》との交易《こうえき》のつながりが見られます。

［一九六五年　宝島のオヤシュウ（太夫《たゆう》）である松下斎重《えいしげ》さんの話と筆者の研究から］

4　ガラスと牛の思い

ガラス（カラス）が、「ガアガア」いうて鳴けば、「あら、ガラスじゃなか。牛のおもいじゃ。」といいます。

昔、ある女が牛に何も食わせんで、悪いたまり水を飲ませていたそうです。そうしたら、女も病気になってしまったそうです。

すると、ある人が女の家にやってきて、

「お前たちは気づいておるか。あのガアガア鳴くのは、ガラスじゃなか。牛のおもいじゃ。牛はケダモノでも、タマシイがあるのじゃ。」

と言ったそうです。

牛は野原に出て、「あの草食《く》たなら、この草食《く》たなら、ながるる川の水のほしさよ。」と思っているらしい。

そいで、「牛のおもいがくるから、立派にやしのうて使え。ムクローに（むりやり）

使うばかりじゃいかん。」というのだそうですよ。

［一九六五年　宝島　平田サクヅルさん（明治二二年生まれ）より］

5　フユージゴロの水くみ

あるところに、安左衛門《やすざえもん》といううじいさんと、安兵衛《やすべえ》という若い人が近くに住んでいたそうです。

この二人は、仕事にラチがあかないフユージゴロ（なまけもの）であったそうです。一日働いてくると、二日も三日も酒を飲《の》んだりして、仕事はせず、税金《ぜいきん》も納《おさ》めることができなかったそうです。

この二人は、町では仕事にやとう人もいなくなって、とうとう山に入って、それぞれ掘っ立て小屋をつくって住み、タキモン（たきぎ）をとったり、ちょっと開墾《かいこん》した地にカライモ（サツマイモ）を植えたりして、ようようくらしていたそうです。

山を見たり、森をながめたりしながら、ある日、安左衛門は思ったそうです。

「これでは、人間として世間にもうしわけがない。今までの働き方を変えねばならない。」と。

それからは、朝から晩まで働き、働いた収入の半分は貯《た》め、半分は生活費《せいかつひ》にしたそうです。

そして何年か後《あと》には、貯金もできたので、山をおりて町へもどり、もとのわが屋敷をとりもどして、もとよりもよか家を建てて住んだそうです。

ある日、山から町にやってきた安兵衛は、安左衛門の新しい家を見てびっくりし、

「どうして、こんな立派な家ができたもんじゃろうか。」

と思ったそうです。

そこで、安兵衛は、安左衛門の家に行き、そのわけを聞いてみました。すると、安左衛門は、

「それは口では言えない。明日《あした》の朝、早く起きてこい。早く起きてくれば教えてやる。」

と。

安兵衛は、次の日の朝早く起きて、安左衛門の家に行ってみたそうです。ところが、もう、安左衛門は起きて家の庭のそうじをしていたのです。

すると、安左衛門は安兵衛に、

「酒樽《さかだる》をどこからか、買ってこい。」

と言ったそうです。安兵衛が酒樽を買ってくると、

「これを井戸端《いどばた》におけ。」

と言ったそうです。その通りにすると、安左衛門は、その酒樽の底《そこ》を打ち抜《ぬ》いて、

「これに、水をずばっと（たくさん）くみこめ。」

フユージゴロの水くみ

と言ったそうです。

「これで、水がたまるかな。」

と思いながら、安兵衛は、日の一日《ひして》、水のくみかたに励《はげ》んだそうです。ところが、底《そこ》が抜けているので、水はまったくたまらない。

「たまったか。」

と安左衛門が言うと、安兵衛は、

「これは、たまるはずがないじゃないか。」

と言ったそうです。

「そこじゃ。その通りじゃ。それでは、明日《あした》の朝、また来てみらんか。」

と言ったそうです。

翌朝《よくあさ》、安兵衛が朝早く起きて行くと、今度もまた、安左衛門は、朝はようから庭そうじをしていたそうです。

すると、安左衛門は、昨日《きのう》の樽《たる》の底はしっかりふさいで、井戸端にすえ、今度はツルベ（水をくみあげる桶《おけ》）の底を抜いて、渡《わた》したそうです。

「これは、不思議なことをするもんじゃ。」

と、安兵衛は思いながらも、朝から晩までくんだそうです。

その日は、ツルベの底は抜けていたが、夕方までに、オケのしずくが少しずつ落ちて、いくらかたまったのだそうです。

「きょうは、水がいくらかたまったよ。」

と言うと、

「その通りじゃ。人間が金《かね》をためるのも同じじゃ。少しずつでもためると、いくらかになる。それで、働きの三分の一でも半分でもつかわないでためていくと、いつか大きなお金になる。」

と言ったそうです。

安兵衛は、うなずきながら、このことをよく飲み込んで、それからは、よく働いてお金をため、やがて山の小屋から町へもどってきて、よか家も建てたそうです。

この話は、話者《わしゃ》の彦太夫《ひこだゆう》さんが七才のころに聞いた話だそうです。

［一九七五年　宝島　前田彦太夫《ひこだゆう》さん（明治三三年生まれ）より］

6　宝島《たからじま》の田んぼと雨乞《あまご》い

宝島は、田んぼがわりあいに多い島です。そして、田んぼには、次の種類があります。

① ミドリ
タイモダともいい、サトイモに似た田イモを植える田んぼのことです。これはまた、牟田田《むただ》ともいって、深い田んぼです。

ミドリは、畦《あぜ》をしっかり作らないと水もれがするので、はばの広い、しっかりした畦《あぜ》をつくります。畦は、くずれないように丸く盛《も》り上げてつくります。

ミドリにつくる田イモは、三年ごとに植えかえます。田イモを植えるときは、田イモの上のほうを少し切り、さらに、その上の茎を少しつけて切って、それをミドリに、手でさし込んで植えます。

② カラタ
ふつうの乾田《かんでん》のことです。

③ ノーシロダ（苗代田《なえしろだ》）
いわゆる苗代用の田んぼです。カワ（湧《わ》きみずや雨がふったときに流れる小川《おがわ》）のそばにあります。ノーシロダの畦には、小さい石を置いて、田の神をまつっています。（宝島の田の神は、日本の南限地《なんげんち》の田の神です。）

ミドリとカラタは、大方《おおかた》、天水田《てんすいでん》です。雨がふったときに、水がたまるのです。でも、ミドリはどろが深いので、水は何日もたまっています。

なお、宝島の田んぼには、田を耕《たがや》したあとの田に、笹竹《ささだけ》を一本立ててあります。それは「ここに牛をつなぐな」という意味です。

また、イネを刈《か》りとったあとの田(宝島では、イネの株《かぶ》は下を残して、わりあいに高く刈ります。)に、笹竹などを立てて目じるしにしてあります。これをシケといいますが、これも、「ここに牛をつなぐな」という意味です。

畦《あぜ》の草を牛の飼料用《しりょうよう》に残している人も、畦にシケを立てます。苗代田に、たねをまいたときも、畑にスエ菜《な》(カブ)のたねをまいたときも、シケを立てます。

こうしておくのは、牛や馬(小形のトカラ馬)がたくさんいた一九七〇年ごろまでは、それぞれ、運動をさせたり、「牛つなぎ」といって、田畑や畦などにつれていって、草を食わせたりしたからです。

なお、サトイモや田イモに似たクワズイモがあちこちに生えていますが、これを「ゴゼミ」といいます。ゴゼミには、葉が大きいゴゼミと、葉が小さい「ミツバゴゼミ」があります。

葉の大きいゴゼミはなんにも使わないけれども、葉の小さいミツバゴゼミは、根《ね》太《ぶと》ができたときなどは、ゴゼミの根をとって、摺《す》り、そのどろどろしたものを生《なま》のまま紙につけて、根太にはりつけて吸《す》いだしにします。すると、よく効《き》くのです。

イネのことで、ついでに記《しる》すと、三〜四月に行われた雨乞《あまご》いがあります。雨乞いには、カノク（砂漠《さばく》）の近くのオイケ（雄池）の下がわにあるイケンソネという小高い丘で、平田嘉永《かえい》という人が、天に向かっておがんだそうです。

このときは、男の子たちがトンガイ笠《かさ》（ビローの若芽《わかめ》でつくった男笠）をかぶり、コバ蓑《みの》（ビロー蓑《みの》）を着て行ったそうです。

嘉永さんは、大きいシトギだんご（生米のこなに水を入れて作っただんご）と酒を二つそなえておがみ、

「雨タモーレ、雨タモーレ」と言って祈り、酒を飲んで少しよっぱらって帰ったそうです。

ところが、不思議なことに、そのあと、小さい雨か大きい雨かわからないが、雨が必ずふったそうです。

シトギは、行った人たちが分けて食べました。嘉永さんより前の時代には、神役のオヤシュウ（親主《おやしゅ》、太夫《たゆう》）が行ったそうです。

［一九七五年　宝島　前田彦太夫さん（明治三十三年生まれ）より］

7　じいさんと古株《ふるかぶ》

昔、あるところに、目の見えないじいさんがおったそうです。じいさんは、外を歩くときは、いつも杖《づえ》をたよりに歩いていました。

ある日、木のフルカブ（古株《ふるかぶ》）につきあたって、額《ひたい》に大きなコブを打ち出したそうです。

ところが、じいさんは、その木のカブに向かって、手を合わせ、念仏《ねんぶつ》をとなえておがんだそうです。また、二度もそうしておがんだそうです。

それを見ていた人が、

「じいさんは、気が違ったのではないか。」

と思って、じいさんにわけを聞いたそうです。すると、じいさんは、

「わたしはこの通り、目が見えない。自分からこの木につきあたって、コブを打ち出した。でも、これだけのケガですんでありがたかったと、カブに感謝《かんしゃ》し、礼を言っているところです。」

と言ったそうです。これを聞いた人は、

「ほんとに立派なもんじゃな。世の中の人が、このじいさんのように、考えておれば、人と人の争《あらそ》いごとなど起こらんだろうに。」

と、つくづく思ったそうです。

それで、昔の人は、「自分が悪いことを、先に考えないといけないのだ」と教えてくれたものです。

［一九七五年　宝島　前田彦太夫《ひこだゆう》さん（明治三三年生まれ）より］

8　ヒルゴウ岳《だけ》の不思議な話

宝島の一番高い山は、イマキラ岳（高さ二九一ｍ）だと地図にありますが、それに続くヒルゴウ岳（二八九ｍ）を、人々は、頂上《ちょうじょう》の意味のお岳とよんでいます。村から見るヒルゴウ岳の形がよいからでしょうか。

昔は、じいさん、ばあさんから、「ヒルゴウ岳に行って、ションガ節などの歌を歌うな」と、よくいわれたそうです。

平田サクヅルばあさんが、若いとき、サトウ製造《せいぞう》のタキモン（たきぎ）とりに、集落《しゅうらく》の人たちといっしょに、ヒルゴウ岳に行ったそうです。そのとき、昼飯《ひるめし》のにぎりめしは、テゴ（かご）に入れておいて、タキモンとりがすんで、テゴの中を見てみたら、にぎりめしがみんな、卵ぐらいに小さくなっていたそうです。

ところで、宝島では、女は、ふつうは赤い手ぬぐいをかぶるのですが、ヒルゴウ岳には赤い手ぬぐいをかぶって行くな、もしかぶって行けば、その女はいなくなる、といわれていました。また、ヒルゴウ岳に行ったら、そこに生えている竹は切るな、そこにはハナタカ天狗《てんぐ》という神様が住んでいるのだ、といっていました。

もっとも、今ごろは、そんなことはいわないようです。

［一九六五年　宝島　平田サクヅルさん（明治二二年生まれ）より］

9　短い話二つ

①　オイケ（雄池）の黒い石

トカラの島々では、ヒチゲーとかオーヒチゲーという日があります。それは、日違い、大日違いのことであり、「節替り《せつがわ》」あるいは「大節替り《おおせつがわ》」ということでもあり、二月二、三日ごろの節分《せつぶん》（立春《りっしゅん》の前の日）の古い言い方です。

ヒチゲーの中心の日を、オーヒチゲーといい、その日は、みんな家につつましくして、仕事などには出ません。

ところが、宝島の平田政市さんの先祖が、カノク（さばく）のオイケの近くに「牛つなぎ」（山野につないだ牛に、草をたくさん食わせるために、つなぎ場所をかえること）に行ったそうです。

そのとき、オイケを見ると、たたみ半分くらいの黒い石が見えたそうです。すると、きれいな解け髪《とがみ》の女が現れて、立ったそうです。そして、間もなく消えたそうです。

「これはおかしい。」と思いましたが、女の立ったあとに、金《きん》の盃《さかずき》があったそうです。先祖の人は、それを拾って、持って帰り、神棚にあげておいたそうです。そして、それを拾ってから、コメなどなんぼでもよくとれたそうです。そんなときは、人に絶対にその話をしてはならないといわれています。

先祖は、おじいさん、おばあさんが入る隠居家《いんきょいえ》もつくって、そのお祝いの晩に、あんまりうれしくて、つい、「こうこうだった。」と話したそうです。

あくる日、神棚を見たら、金の盃はなくなっていて、それからというもの、コメもよくとれなくなって、だんだん貧《まず》しくなったそうです。

②

金《きん》の玉

政市さんが、アラキザキというところに、釣りに行ったところが、岩の中に金の玉があったそうです。政市さんは、これはよいものがあったと思ったそうです。そしてしばらくしてから、「これを売ろう。」と思い、大島へ渡《わた》ったそうです。ところが、金の玉は、旅館でいつの間にかなくなっていたそうです。そこで、

「あれは神さまの金の玉であったか。」と思ったということです。

［一九六五年　宝島　平田政市さんより］

10　昔話三題《むかしばなしさんだい》

短い昔話を三つ語りましょう。

①　鬼《おに》から逃げる

むかしむかしなあ、山に鬼《おに》がおって、里にやってきて、女をつかまえ、大きなザルの中に入れて、そして頭の上にのっけて、深い山奥《やまおく》につれ込んだそうです。山道で、女はちょうどあったユズイの木をつかんで、それにぶらさがったそうです。

ところが、ウラジロという草の中に落ちてしまったそうです。しかし、そのおかげで、鬼《おに》に見つからずに命拾《いのちびろ》いしたということです。

それで、正月になると、ウラジロの葉っぱの上に餅《もち》をそなえて、ユズイの葉《は》もそなえて祝うのだそうです。

② 二十三夜の神さま

今では、正、五、九月の二十三夜には、二十三夜まちとか、お月まちといってまつっていますが、昔は、二十三夜の神さまといって、おがんでいました。トカラ観音主《かんのんしゅ》の歌に、

〽二十三夜のお月さま見て、思うてかなわぬことはない。

と歌われています。昔、ある男が漁《りょう》に行ったそうです。潮《しお》と風を見ながら、帆《ほ》船《せん》で行ったそうです。

ところが、潮と風がうまく合わないで、港に入れない。そして、船は沖のダント（島が見えない海上）に流れたそうです。

そしたら、空に二十三夜の月があがっていたのです。そこで、よく見ると、月あかりに島を見つけて、無事に港にもどれたそうです。

それで、二十三夜には、月おがみをするのだといわれます。

③ 人間と草

昔は、畑には、草というものは、生えていなかったそうです。そこで、お釈《しゃ》迦《か》さまと日当山《ひなたやま》（さつまの知恵者《ちえしゃ》で、小人《こびと》であった人）が話し合って、

「畑に草が生えないと、人間はあんまり楽になって、からだがくされる。」

ということで、草が生えるようになったのだそうです。

［一九六五年　宝島　前田サダキヨさん（明治三四年生まれ）より］

11　イギリス坂

宝島には、イギリス坂という場所があります。大籠《おおごもり》の港からのぼってきて、郵便局にさしかかるところをいいます。

なぜ、イギリス坂なのでしょう。これには、わけがあります。

平松正之烝《しょうのじょう》さん（明治二五年生）から聞いた話ですが、氏のじいさんの父が二〇歳のころに、本当にあった話です。それは記録にもありますので、正しくは、江戸時代の文政七（一八二四）年八月九日のことです。

そのころ、宝島には、津口番所《つぐちばんどころ》、異国船番所《いこくせんばんしょ》、異国船遠見番所《いこくせんとおみばんしょ》の三つの番所があって、それらの番所には、薩摩藩《さつまはん》の侍《さむらい》が勤《つと》めていました。この侍を在番《ざいばん》といいました。

ところで、前田平左衛門《へいざえもん》の祖父《そふ》の孫左衛門《まござえもん》は遠見番《とおみばん》であったそうです。遠見番所は、女神山《めがみ》のむこうのヨケーノヤマにありました。

なお、宝島には、昔から、島主ともいうべき郡司《ぐんじ》がいて、島の生活や信仰《しんこう》などの中心をなしていました。また、横目《よこめ》（今の警察官にあたる人）もいました。

こうした支配組織《しはいそしき》のもと、人々は仕事に励《はげ》み、豊《ゆた》かな信仰生活や年中行事などをくりひろげていました。

そして、鹿児島の薩摩藩《はん》に対して毎年、年貢《ねんぐ》を納《おさ》めました。年貢は、トカラ各島はカツオ節や真綿《まわた》（絹《きぬ》）などでしたが、宝島はカツオ節のかわりに砂糖を納めていました。

さて、文政七年の話。正之烝《しょうのじょう》さんの話にもどります。

最初、見なれない顔の異国人《いこくじん》が上陸《じょうりく》してきて、「病人がおるから、あれ（牛）とかえてくれ」と手まねで言って、黄色い物（時計）を差し出したそうです。すると、在番は、

「牛をやることはでけん。そのモノは受けとらない。」

と言うと、異国人は去《さ》っていったそうです。ところが、もう一度やってきて、今度は鉄砲《てっぽう》を撃《う》ってきて、牛をぬすんでいったそうです。そしてまた、六名やってきたそうです。

番所の下には、乗り越《こ》えてこないように、柵《さく》をしてあったのですが、それを乗り越えてやってこようとしたそうです。そこで、在番も鉄砲を持って、異国人をねらって、撃ったそうです。

すると、見事に当たって、異国人は倒れたそうです。あとの異国人はおどろいて逃げ、沖の船に乗り移ったそうです。その後、船は島のまわりを回っていましたが、

やがて、どこかに行ってしまったということです。

そのときの在番は、吉村九助という侍《さむらい》だったそうです。彼《かれ》は、鉄砲撃《う》ちの名人であったそうです。

このとき、番所にいた宝島の侍、平田伊惣次《いそうじ》も初矢(初弾《はつだま》)をドンと撃《う》ったのですが、彼はあわてごろであったので、当たらなかったそうです。しかし、二発目は当たったそうです。彼は、イギリス坂の西の小山にかくれて、そこから撃《う》ったのでした。

そのとき、吉村九助は飛び出して撃ち、異国人にとどめをさしたのでした。吉村氏たちは、そのイギリス人の死体を塩づけにして、鹿児島へおくって事件の一部始《いちぶし》終《じゅう》を報告したのです。

異国船(イギリス船)は、その後も三年間、やってきたといいます。

ところで、薩摩藩《さつまはん》ではこの事件の事情報告《じじょうほうこく》をただちに江戸幕府《えどばくふ》に行《おこな》いました。

幕府ではおどろいて、これは日本の一大事だというわけで、全国に向けて「異国船がやってきたら打ち払え」と命令を出したのでした。これが有名な「異国船打ち払い令」です。宝島の事件から半年後の文政八(一八二五年二月十八日のことでした)

宝島の事件は、こうして日本史に残る一大事件となったのです。

[一九六五年　宝島　平松正之烝《しょうのじょう》さん(明治二五年生まれ)の話と史料より]

12　トカラと琉球《りゅうきゅう》

トカラの島々は、古くから琉球（沖縄）との関係が深い島々でした。それは、すでに数千年前の縄文時代《じょうもんじだい》からのことです。そんな古い昔から、九州―トカラ―沖縄の交流《こうりゅう》があったのです。

そして、ぐっとさがって、今から数百年前になりますが、そのころの沖縄と共通する文化がトカラの島々に今も残っています。

それは、たとえば、根神山《ねがみやま》(宝島では女神山《めがみやま》、小宝島では畝神山《うねがみやま》)などという神山です。島の中心の家をトンチ（殿地《とのち》）というのもそうです。

さて、宝島では、トンチ屋敷《やしき》の平田家の家系図《かけいず》に、「永享《えいきょう》年中（一四二九～一四四〇年）に、先祖の平田権次郎宗貞《ごんじろうむねさだ》という人が琉球へわたり、布や酒を持ち帰って、鹿児島の藩主《はんしゅ》（殿さま）へ献上《けんじょう》したとしるされています。

それからのち、平田家は代々、琉球の案内役《あんないやく》をしたということです。

慶長《けいちょう》十四（一六〇九）年には、トンチの平田宗継《むねつぐ》は、島津氏の琉球侵攻《しんこう》の案内役をし、その手がらによって、宝島の郡司《ぐんじ》役を務めるようになったということです。

この琉球攻めのときには、トカラの各島の船が参加したといわれていますが、宗継《ぜ》の船は先導役《せんどうやく》として重要《じゅうよう》な役を果たしたようです。

はじめに、島津勢は、那覇に近い泊港に入り、そこから王様のいる首里《しゅり》を攻める予定であったらしいのですが、琉球をよく知っている宗継が、

「泊港は、琉球兵が守っているのでよくない。それよりも、もっと北の守りのうすい運天港に入り、そこから陸を通って攻めたらどうでしょうか。」

と、意見をのべたそうです。

宗継の乗った船の船頭は、前田家の先祖のマゴヨム（孫左衛門《まござえもん》）であったが、運天港に上陸《じょうりく》すると、すぐその船に火をつけて、焼いたということです。決死隊《けっしたい》の覚悟《かくご》を示したのです。

ところで、運天港に入ったときは、琉球兵の姿はなかったが、村人《むらびと》によるものか、港のサンゴ礁《しょう》の瀬《せ》のあちこちのツボキ（くぼみ）には、アワのオカユを入れてあったそうです。

これは敵兵《てきへい》（島津軍《しまづぐん》）の足を焼《や》くまじないだったようですが、先導役のトカラ兵たちは、喜んでそのアワのオカユを食べたということです。この琉球侵攻のとき、トカラの人たちも大勢戦死《おおぜいせんし》したということです。

さて、琉球からもどったとき、薩摩の殿さまが、

「トカラのお前たちは、たいへん手柄《てがら》をたてたので、ほうびをやりたい。それは、年貢《ねんぐ》を安くするか、参加した人たちを侍《さむらい》にとり立てるか、どちらがよいか。」

と言われたそうです。すると、トカラの人たちは、「侍がよい。」と言ったそうです。それで、トカラの人たちはみんなが侍身分《さむらいみぶん》になり、立派な姓《せい》をもらい、今に続いているのだそうです。

なお、トカラは、中世の初め（鎌倉時代《かまくらじだい》）ごろから、琉球の支配《しはい》を受けていて、年貢《ねんぐ》を厳《きび》しくとり立てられたと、言い伝えられています。

このように、古い時代には、宝島をはじめ、トカラは、琉球の支配も受けていたのです。

［一九六五年　宝島　平松正之烝《しょうのじょう》さん（明治二五年生まれ）、他］

13　シコマと焼き米

宝島には、シコマという大事な行事があります。この日取りは、区長が七月二日ごろの日を選んで決めます。

シコマというのは、トカラ列島でも、宝島と小宝島だけにしかありません。

一方、奄美大島ではシキュマといい、沖縄ではシチュマといいます。これらは、沖縄から宝島、シマゴ（小宝島）まで見られるイネの初穂《はつほ》祭りのことです。またそれは、家ごとの小さな祭りなのです。

シコマの内容は、新しくできた稲穂《いなほ》を家に迎《むか》える行事です。このシコマをしないうちは、イネ刈《か》りはできません。

そして、収穫《しゅうかく》したら、七月は村中（宝島中）の人びとが参加して、鎮守大明神《ちんじゅだいみょうじん》で大祭《おおまつ》りをします。筆者が一九六〇年代に見た七月の大祭《おおまつ》りは、にぎやかな祭りでした。大祭りには、ヌーシ（内侍《ないし》）のお神楽《かぐら》もあがります。

さて、話を前にもどしますと、シコマのときは、初穂迎えのモチゴメの青いイネを田で刈《か》ります。そのとき、九つにぎりを一束《ひとたば》にして持ってきます。そして、手管《てくだ》といって、七、八cm長さの小指ぐらいの竹を、V字型に二本合わせたものを、親指と人さし指の間《あいだ》にはさんで持ち、稲穂をしごいて、モミを落とします。

そのモミを大鍋《なべ》に入れて煎《い》ります。そして、臼《うす》に入れてついてから、バラ（ざる）に入れて揺《ゆ》ってスッポ（もみがら）を飛ばします。

すると、青くてまだ熟《う》れきっていないやわらかいモミゴメがたくさんとれるのです。

それに、少し水を加えて（これをシトネルといいますが）、臼《うす》でちょっとつきます。すると、やわらかい青い稲米《いなごめ》のだんごみたいなものができます。これがヤッゴメ（焼き米）です。また、シトギともいいます。

これを少しずつ分けてとり、桑《くわ》の葉っぱに乗せて、家の神々や先祖さまへあげるのです。

まず、内神《うちがみ》さまへそなえます。主人は、焼酎《しょうちゅう》もそなえて、そして、内神さまから順々に神さまや仏さまをおがんでから、その稲米《いなごめ》の焼き米を家族とともにいただくのです。そのときは、砂糖《さとう》を少しつけて食べると、なお、おいしいです。

一九六五年に、平田政市さんの家で、筆者もいただきましたが、このヤッゴメは香《こう》ばしく風味《ふうみ》があって、最高の味でした。

この焼き米は、日本の古い時代のイネの食べ方の一つであったそうです。

なお、このシコマの日、田から持ってきた初穂のうち、何本か選んで、穂先を竹の棒にならべてさげます。それを「穂むすび」といい、火の神さまと厨《くりや》(台所)さまのわきに差《さ》してあげるのです。

このとき、火の神さまには、九垂《くた》れの穂、厨《くりや》さまには八垂《やた》れの穂をあげます。

[一九六五年および一九七五年　宝島　平田政市さんおよび前田彦太夫《ひこだゆう》さん(明治三三年生まれ)より。また、筆者も見学しました。]

14　神役とシバカブリ

トカラ列島は、神々の島といわれます。一年の中で、ムギの祭り(四月)、アワの祭り(六月)、コメの祭り(七月)、イモの祭り(十一月)を行い、神々に感謝《かんしゃ》します。

(1) 神役

これらの祭りを行うための、神役というのも決めてあります。宝島の神役には、次の種類があります。

① オヤシュウ（太夫《たゆう》）

この役は、以前は世襲制《せしゅうせい》で、松下家の男性が務《つと》めてきました。祭りのときは、中心になって祈りを進めていく役目です。

② ヌーシ（内侍《ないし》）

女性神役ですが、このヌーシに選ばれるには、神さまの前でクジビキをして決めます。ヌーシは、祭りのときは、重要《じゅうよう》な役割をします。ヌーシのノト（祝詞《のりと》）を述《の》べます。そして、カミウタを歌いながら、お神楽舞《かぐらま》いをします。白いうちかけを着て、鈴《すず》を持って上品に舞《ま》います。

③ キミガミ（君神）

トンチ（殿地。平田家）の家筋《いえすじ》の女性がキミガミとなって、ヌーシと同じようにお神楽舞《かぐらま》いもします。なお、キミガミは、平家堂《へいけどう》という仏像《ぶつぞう》たちを置いたお堂の守り役もします。平家堂には、トンチの先祖が昔からおがんできた仏像たちが入っているのです。

④シェークジ（細工司《さいくじ》）

ションジャ（精進屋《しょうじんや》。高倉風《たかくらふう》の建物）で、酒造《さけづく》り、その他の祭りの準備をする役目で、前田家の者が務めています。

⑤バンゴ（番子）

シェークジの手伝い役で、コメを集めたり、メシをたいたりします。

⑥ガラス

ヌーシの予備軍《よびぐん》とでもいうような役目です。ヌーシがお神楽《かぐら》をあげているとき、見物人の中から、突然現れて、ヌーシのそばで、舞《ま》い出したりする女性です。そんなに自然に神がかりすることを、シケがくるといいます。こんな女性をガラスといい、ヌーシの手伝いなどさせ、そのうち神さまの前でクジをとらせて当れば、ヌーシになります。

ガラスは、カラスのような冠《かんむり》（烏帽子《えぼし》）をかぶってヌーシの手伝いをします。

⑦　サジ

神役ではないが、祭りの準備のとき、集落《しゅうらく》から三人の女性が選び出されて、精米などの手伝いをします。この女性をサジといいます。

以上が宝島の神役とそれに関係の深い役目でした。それでは、次に、ヌーシの就任式《しゅうにんしき》であるシバカブリ（柴《しば》かぶり）をのべましょう。

(2)　シバカブリ

神クジにあたった女性は、シバカブリをして正式のヌーシになります。それは、彼女の家で行われます。

①　火の神の前で祭り

まず、新ヌーシは、家の火の神さまの前に座《すわ》り、旧ヌーシが「ンブー」と言ったときに、別のヌーシがシトギ（粢《しとぎ》）餅をはしではさんで、神役のお膳《ぜん》にあげます。そして、「穂元で」と言ったとき、各自の膳の上の稲穂をとって、膳の先で三回まわします。そして、おがみます。

それがすむと、ヌーシたちは庭に出ます。オヤシュウは、えんがわに座って太鼓《たいこ》をたたきます。

② エーヘートーヤ

新ヌーシは、庭に臼《うす》をさかさまに置いて、それにワラをしいて腰《こし》かけると、一八〇cmほどのシバ（笹竹《ささだけ》）を両脇《りょうわき》から立てかけ、そして、新ヌーシは日の丸センスを頭にかざします。

すると、オヤシュウが、「エーヘートーヤ」ととなえ、太鼓を打ちます。ついで、旧ヌーシたちが、「ホーヒア」と言い、新ヌーシの回りを三角形の形に歩いて回ります。その間、「エーヘートーヤ」「ホーヒア」をくり返しとなえる儀式《ぎしき》が行われ、九回まわります。

さて、この「エーヘートー

各家の内神を参拝し、神楽を上げる内侍と太夫(宝島、1965年)。

ヤ」「ホーヒア」は、いったい何の祭りでしょうか。
オヤシュウの松下裔重《えいしげ》さんが、一九六五年に語った話では、火の神をまつるのだそうです。

なるほどと思われるけれども、火の神は、すでに家の中でまつっていますから、わざわざ庭でやるのは、より大きな外界《げかい》の火の神、すなわち日の神、太陽神に対する祭りではないでしょうか。松下さんは、火の神でなく、日の神をまつるのだと言われたのを、筆者が火の神と聞き違《ちが》えたのでしょう。

なお、太陽を本土では天道《てんどう》とかオテンドサマいい、琉球ではテダとかテダガナシ（天道さま）といっていて、どこでも非常《ひじょう》に崇拝《すうはい》されています。

すると、新ヌーシは、天道すなわち日の神の子として誕生《たんじょう》したわけです。このことはまた、ムギやアワやコメやイモの収穫《しゅうかく》を太陽に御願いすることでもありましょう。

宝島のヌーシ就任式《しゅうにんしき》のこのシバカブリは、このように深い意義《いぎ》のある行事であり、祭りであります。このような儀式は、日本中でもほかにありません。

一九六〇年代から一九七〇年代までは、シバカブリは行われていたようですが、今（二〇二〇年）、どうなっているのでしょうか。

［一九六五年　一九七四年　宝島　松下裔重《えいしげ》さん、前田彦太夫《ひこだゆう》さん（明治三三年生まれ）、他から］

15　宝島空襲《たからじまくうしゅう》・アメリカ兵上陸《へいじょうりく》

昭和二〇年（旧暦の）三月三日、アメリカ軍の空襲によって、宝島の家々は焼かれたのでした。

その日、アメリカの飛行機は入れかわり立ちかわりやってきて、本土空襲で使い残した爆弾《ばくだん》や焼夷弾《しょういだん》をたくさん落としたそうです。

カノク（砂漠《さばく》）に日本の飛行機が不時着《ふじちゃく》し、偽装《ぎそう》してありましたが、まず、それを目がけてやってきました。そして、村にも爆弾《ばくだん》を落とし、機上《きじょう》からも撃《う》ってきました。また、石油をまいて、焼夷弾《しょういだん》を落としました。昼間のことでしたが、畑や山の仕事に出ていた人は、走ってきてみましたが、風が強くて、家の中から、何も取り出せなかったそうです。

集落の人々は、西や東に走って、自然洞窟《どうくつ》にかくれたりしました。日を違《ちが》えて、三回にわたってやられたそうです。そして、五〇軒《けん》あまりのうち、十数軒が残りましたが、それも爆風《ばくふう》を受けたりして、被害《ひがい》がありました。集落は、家まわりの樹木《じゅもく》もほとんどないように焼けてしまったのでした。

ほとんどの人が、着のみ着のままで逃げましたが、人によっては、家財《かざい》を持ち出した人もありました。

当時、日本の兵隊《へいたい》が十数人駐屯《ちゅうとん》していましたが、「こんなところは焼きはせん」といっていたので、それを信じていた多くの人々のアテは、見事にはずれたのでした。

また、戦争中は、コメもイモも少ししか植えられませんでした。牛やブタなどを殺して食べていました。しかし、牛やブタを料理するにも、けむりが立つのをおそれて、不便だったそうです。

終戦後《しゅうせんご》、まだ日本の守備隊《しゅびたい》のおるうちに、アメリカの軍艦《ぐんかん》がやってきて、アメリカ兵が上陸してきたそうです。守備隊は、アメリカ兵がくる前に、武器《ぶき》や弾薬《だんやく》は全部、海にしずめたそうです。

アメリカ兵は上陸してくると、守備隊と打合せをし、すぐ帰っていきました。そして間もなく、日本兵たちも引き上げたということです。

終戦直後は、畠《はたけ》や田が荒れていて、穀物《こくもつ》やイモを植えても、それが収穫《しゅうかく》できるまで、すこし難儀《なんぎ》したそうです。しかし、アメリカ占領《せんりょう》時代は、何やかやと配給《はいきゅう》があって、食生活のたしになったそうです。

［一九六五年　宝島　平松正之烝《しょうのじょう》さん（明治二五年生まれ）より］

16　八丈島《はちじょうじま》と青ヶ島《あおがしま》

これは、宝島の話ではありません。東京の南にある伊豆諸島《いずしょとう》の話です。でも、宝島で語り伝えてきた昔話で、前田サダチヨさんは、ばあさんから聞いたのだそうです。

昔、八丈島は女だけの島であったそうです。ところが、となりの青ヶ島は男ばかりの島だったそうです。

青ヶ島の男たちは、船をこいで、一年に一回、八丈島に行ったということです。八丈島の女たちは、赤い鼻緒《はなお》のぞうりを作って、浜にならべていたそうです。男たちは、どれでも一足とってはき、陸にのぼったそうです。そして、そのぞうりを作った女と、それをはいた男が恋人同士になったそうです。

そして、種子をまいてきて、男の子ができたら青ヶ島で育て、女の子ができたら八丈島で育てたということです。

歌にこんなのがあります。

〽沖でみたときゃ、八丈は鬼《おに》よ。入りてみたれば、八丈は情島《なさけしま》よ。

［一九七四年　宝島　前田サダチヨさん（明治三四年生まれ）より］

おわりに

トカラ列島は、夜空《よぞら》にかがやく北斗七星《ほくとひちせい》のように、七つの島が南北《なんぼく》に点々とつらなる島々です。トカラの島々は、数千年も前から本土や琉球《りゅうきゅう》と交流があり、歴史時代に入ってからも、特に中世のころからは、琉球王国の勢力《せいりょく》が入って、トカラの文化にも大きな影響《えいきょう》をあたえました。

また、薩摩《さつま》の勢力も強くなっていきました。こうして、トカラの島々には、北からのヤマト（本土）文化、南からの琉球（沖縄・奄美）の文化が根をおろし、それらは、今でも残って、貴重《きちょう》な行事や祭り、信仰《しんこう》となっています。

これらについては、本書にもいろいろ記《しる》しました。

そして、本書では、トカラの民話《みんわ》と、それをめぐるいろいろな歴史や文化を紹介《しょうかい》しました。

トカラ行きの船「十島丸《としままる》」は、今は大きな客船「フェリーとしま2」（約二千トン、全長九三・五m、旅客定員二九七人）となって、鹿児島市とトカラ各島および奄美市の名瀬港をむすんで、三日ごとに一往復《おうふく》しています。各島には民宿もあります。

本書を読まれて興味《きょうみ》をもたれたら、ぜひ、トカラに行かれてください。しかし、海上の島々であり、また、人口が増えた島もあれば、過疎《かそ》の島もありますので、旅の上で注意すべきこともあります。

なお、十島村役場（〒八九二―〇八二二　鹿児島市泉町十四―十五　TEL〇九九―二二二―二一〇二）に聞かれてからお出かけください。

本書に用いた資料は、昭和三〇年代から平成初年ごろまでに、トカラ列島に出かけて民俗調査をした折の筆者のノートと録音テープによるものです。

ノートのあっちのすみ、こっちのすみから拾い上げた話も多いです。本文の話を語ってくださった各島のお年寄《としより》たちは、貴重な民話・歴史物語の伝承者《でんしょうしゃ》であり、島の宝であります。

民俗の話をされたついでに、こんな話もあるよとおっしゃって、語ってくださった話も多いのです。本書収録の話はまさにそれです。トカラ各島の話をこうして一書にまとめると、トカラ独特の雰囲気《ふんいき》も出てきます。

各島のたくさんの話者の方々には心から御礼申しあげたいと思います。それから、各島の民宿のおやじさん、おかあさんをはじめ、島の総代さんはじめたくさんの協力してくださった方々に厚《あつ》く御礼申しあげたいと思います。

また、十島村役場の方々には、各島の状況《じょうきょう》や船の出航《しゅっこう》、その他、お世話になり、感謝《かんしゃ》申し上げます。

なお、たくさんの録音テープを再生し、文字化してくれた家内はじめ家族にも感謝したいと思います。

なお、トカラの昔話《むかしばなし》は、筆者の次の図書にも収録《しゅうろく》されています。内容は、本書とは違《ちが》う別《べつ》の話で、おもしろい話です。ぜひ、読んで下さい。

○『鹿児島昔話集』（南日本文化シリーズ第二巻）南方新社（鹿児島市）。
○『鹿児島ふるさとの昔話２』南方新社。
○『鹿児島ふるさとの昔話３』南方新社。

最後に、出版事情のきびしい折ではありますが、中世の頃、半属琉球であったトカラ列島の民俗文化にご留意下さり、本書の出版をお引き受けて下さった榕樹書林社長の武石和実氏に心から感謝申し上げます。

また、大変美しく魅力的な表紙装幀をはじめ、私のシリーズ民話本では初めての美しいカラー挿画を何枚も描いて下さった永松美穂子先生に厚く御礼申し上げます。永松先生は、鹿児島純心女子短期大学教授であられたすばらしい先生です。

令和元年十二月二八日

下野　敏見（しもの・としみ）

著者プロフィール

1929 年、鹿児島県南九州市知覧町に生まれる。
1954 年、鹿児島大学卒業。
鹿児島県内各地高校教諭をへて鹿児島大学教授、
鹿児島純心女子大学教授。
文学博士（筑波大学）。
日本民俗学会々員、日本民具学会々員、日本歌謡学評議員、
日本民俗芸能学会評議員。
第一回柳田国男賞受賞、第 52 回南日本文化賞受賞、
平成 26 年本田安次賞特別賞（芸能）受賞。

主要著書

『種子島の民話』Ｉ・II　（未来社、1962 年）
『南九州の民俗芸能』　（未来社、1980 年）
『南西諸島の民俗』Ｉ・II　（法政大学出版局、1980・1981 年）
『ヤマト・琉球民俗の比較研究』（法政大学出版局、1985 年）
『東シナ海文化圏の民俗』　（未来社、1989 年）
『日本列島の比較民俗学』　（吉川弘文館、1994 年）
『奄美・トカラの伝統文化（祭りとノロ生活）』（南方新社、2005 年）
『屋久島の民話』緑の巻・紅の巻（南方新社、2005・2006 年）
『鹿児島昔話集』　（南方新社、2009 年）
『鹿児島ふるさとの昔話』　（南方新社、2006 年）
『鹿児島ふるさとの昔話２』　（南方新社、2012 年）
『南九州の民俗文化』全 25 巻　（南方新社、2019 年現在 14 巻刊行）

トカラ列島の民話風土記

ISBN　978-4-89805-219-8

2020 年 3 月 10 日　印刷
2020 年 3 月 15 日　発行

著　者　下　野　敏　見
発行者　武　石　和　実
発行所　榕　樹　書　林

〒 901-2211　沖縄県宜野湾市宜野湾 3-2-2
TEL. 098-893-4076　FAX.098-893-6708
E-mail : gajumaru@chive.ocn.ne.jp
郵便振替 00170-362904

印刷・製本　(有) でいご印刷

沖縄学術研究双書・14